PEDRO Y EL CAPITÁN

MARIO BENEDETTI

Pedro
y el Capitán

EDICIÓN CON GUÍA DE LECTURA

Introducción, notas y guía de actividades a cargo de
ANA SILVIA GALÁN Y NOEMÍ FIUMARA

Edición
DIANA PARIS

PLANETA

Diseño de cubierta: Mario Blanco
Diseño de interior: Alejandro Ulloa

© 1979, 1993, 1994, Mario Benedetti

Derechos exclusivos de edición en castellano
para la Argentina, Chile, Paraguay y Uruguay:
© 2000, Editorial Planeta Argentina S.A.I.C.
Independencia 1668, 1100 Buenos Aires
Grupo Planeta

ISBN 950-49-0584-6

Hecho el depósito que prevé la ley 11.723
Impreso en la Argentina

PARA ENTRAR EN TEMA

Mario Benedetti. El valor de la palabra

No son tantos los escritores latinoamericanos que nos ha dado el siglo XX que puedan exhibir la coherencia ética y de pensamiento del uruguayo Mario Benedetti. Perteneciente a una generación de escritores que concibió la literatura como un territorio para la afirmación de la libertad y la posibilidad entonces nada utópica de la revolución liberadora, su inmensa producción se convirtió en testimonio acabado de una postura en la que confluyen la conciencia política y un definido sentimiento de solidaridad hacia el prójimo.

Tanto en la narrativa como en la poesía (menos notorio en el teatro, un género que frecuentó poco y del que la obra que nos ocupa es casi una excepción), Benedetti ha expresado su confianza en un cambio de destino de los pueblos latinoamericanos, sobre todo después de 1959, año de la Revolución Cubana. Formó parte de esa enorme legión de escritores de este continente que sostuvo su creencia en un futuro mejor –utópico para otros tantos– en el que era esencial el compromiso del escritor. Creía entonces –como digno hijo de una generación que a mitad del siglo XX pensó que el siglo siguiente no conocería autoritarismos ni dominaciones– que contaba con una única herramienta para la revolución, y que su aporte se concretaba a través de su intermediación. Esa herramienta era la palabra:

"El poeta es consciente de que la palabra es su instrumento; nada menos pero tampoco nada más que eso".[1]

Como es de imaginar, hace ya muchos años que Mario Benedetti ha resignado estos sueños compartidos por tantos. Como a otros intelectuales, también a él lo ha decepcionado el avance desmesurado del capitalismo. Por eso ha afirmado, con amargo escepticismo:

> "Es bueno que los autores comprometidos vayan sabiendo qué futuro les espera. A tal extremo ayuda la semántica a la descalificación, que sus obras, sean subversivas o fantasiosas, ya no serán enviadas a la tradicional hoguera; más bien serán arrimadas cautelosamente a la estatua de la Libertad a fin de que ardan en su inapagable antorcha."

De todos modos, y aunque la esperanza que recorre sus textos no haya alcanzado su debido correlato en el desarrollo de nuestras sociedades, la obra de Benedetti permanecerá inscripta en una literatura en la que la función estética alberga también una función testimonial, con el fin de que el texto llegue a su lector y él pueda reconocerse en esa realidad e, igualmente, en la postura crítica y desarticuladora que sostiene.

Los inicios

Mario Benedetti nació en Paso de los Toros, departamento de Tacuarembó (Uruguay), el 14 de setiembre de

---

[1] *Anthropos*, Revista de documentación científica de la cultura, Nº 132, dedicado a Mario Benedetti, Madrid, 1992. Las citas siguientes de las que no se especifica su referencia, corresponden a la misma publicación.

1920. Su padre era químico farmacéutico y, como lo ha contado varias veces el escritor, un serio revés económico de la familia determinó su mudanza hacia Montevideo, cuando él tenía apenas cuatro años. De esa primera etapa, uno de los datos que más a menudo se menciona fue su paso por el Colegio Alemán de la capital uruguaya, que le aportó una sólida formación, esperadamente estricta y disciplinada.

Integró en su primera juventud lo que luego se denominó "la generación del 45", también llamada "la generación de Marcha", por la revista del mismo nombre, una publicación de espíritu independiente y combativo, que nucleó a las figuras uruguayas más sobresalientes de aquellos años. Martínez Moreno, Idea Vilariño, José Pedro Díaz, Real de Azúa fueron algunos de aquellos nombres. Benedetti recuerda la heterogeneidad de las propuestas literarias que albergó esa generación, pero también el rasgo más destacable que la identificaba: un rigor crítico que a la hora de emitir juicios sobre las obras (literarias, plásticas, etc.) no hacía distingos entre amigos y desconocidos.

> "Esa actitud exigente tiene un precedente obligado para nuestra generación que fue Juan Carlos Onetti. Y no sólo por eso, también es un precursor en hacer literatura urbana, en el rigor formal, en el trabajo estilístico."

Es cierto que se trató de un período en el que la poesía que se creaba en ambas márgenes del Río de la Plata no era precisamente una poesía sencilla. Los movimientos de vanguardia habían dejado nítidas huellas en los poetas tanto uruguayos como argentinos, y su producción era el resultado de una obsesiva elaboración que, en muchos casos, devenía en textos muy herméticos, que no facilitaban la lectura. Por esa razón Benedetti, que comenzó escribiendo poesías (su primer libro se llamó *La víspera indeleble*), no se sentirá afianzado en el género hasta que conozca al poeta argentino que le devolvería la certeza de que su trabajo podía desarrollarse en la misma línea estética: Baldomero Fernández Moreno.

Luego accederá a otros poetas –algunos latinoamericanos, como Martí y Vallejo o el español Antonio Machado– que lo confirmarán en su elección poética. En cuanto a la narrativa, la lectura de los escritores realistas-naturalistas europeos (Chejov, Maupassant) y de los norteamericanos Hemingway, Faulkner, Scott Fitzgerald, contribuirá a la configuración de su ficción, un universo que nunca podrá prescindir de lo real-referencial y que será en sus cuentos y novelas la instancia infaltable para que opere el reconocimiento que suele buscar el lector. Ese será, sin duda, uno de los rasgos invariables de toda su producción: la dimensión estética que se logra en el acercamiento a las realidades humanas más simples o más complejas, pero siempre significativas.

Durante la década del 40 sus cuentos aparecerán en revistas literarias, hasta que en 1949 forma con ellos el primer libro, al que titula *Esta mañana*. Y en 1953, publica su primera novela, *Quién de nosotros*. En estos años es director literario de *Marcha*, y concreta su primer viaje a Europa como corresponsal de la revista.[2]

Para Benedetti, que sobre fines de los años 50 ya había dado a conocer dos textos fundamentales de su obra (*Poemas de la oficina* y *Montevideanos*, un volumen de cuentos) y que, como escritor, había decidido el camino del compromiso social, esta década culmina con un acontecimiento cuya irradiación le infundirá entusiasmo y la confirmación de muchas certezas: la Revolución Cubana.

---

[2] Dada la profusa obra del autor, al final de la introducción hemos detallado título y año de publicación de cada texto, según los géneros de pertenencia.

Exilios y desengaños

Poco más de una década permaneció en el sur de América Latina la efervescencia revolucionaria provocada por el cambio radical operado en Cuba. Los intelectuales, entre ellos Benedetti, se sintieron llamados a apoyar esa gesta heroica que desafiaba la fortaleza inexpugnable del imperialismo norteamericano.

"El escritor la lleva al papel, la pone en blanco y negro. Eso puede ser. Una cosa importante que puede hacer el intelectual es comprender esas revoluciones y, como consecuencia de eso, ayudar a que los demás las comprendan."

Sin embargo, la ebullición política que ese suceso despertó en el Río de la Plata –que vivía alternativamente gobiernos democráticos y de facto– no perduró. En 1973, un golpe militar en Uruguay lo obliga a exiliarse en la Argentina. Tres años después, la llegada de la dictadura en nuestro país le señala nuevamente un destierro, aunque siempre en Latinoamérica, porque elige Perú. Allí, como antes en su estancia en la Argentina, recibe la solidaridad de la gente pero también un claro hostigamiento político, por lo que decide instalarse en España.

Varios libros producidos en ese país, donde reside desde 1976 –no obstante sus frecuentes viajes a Uruguay–, refieren la triste experiencia de alguien que, como muchos miles, ha debido alejarse involuntariamente, habituarse a otro espacio y otra cultura y sentir la nostalgia por un tiempo y una geografía inevitablemente perdidos. *"Vuelvo/ quiero creer que estoy volviendo/ con mi peor y mi mejor historia/ conozco este camino de memoria/ pero igual me sorprendo (...) nosotros mantuvimos nuestras voces/ ustedes ya curaron sus heridas/ empiezo a comprender las bienvenidas/ mejor que los adioses"* dice el poema *"Quiero creer que estoy vol-*

viendo", uno de los tantos que expresan el optimismo de Benedetti por la nueva etapa de democratización que iniciaban los dos países rioplatenses.

Los años que siguen –los 80 y 90– son años difíciles también, porque la tarea que se impone es la reparación de los daños infligidos y la recuperación de la justicia como único instrumento para sancionar la ferocidad de la represión militar. Y aunque no ha sido una tarea fácil ni para Argentina ni para Uruguay, Benedetti seguirá insistiendo con su fe en la utopía, ya que para él el aspecto ideológico y el estético formarán siempre parte de una misma conciencia:

> "Quizás hoy el sentimiento sólo pueda movilizarse a golpes de utopía. No estaría mal, después de todo. Las utopías, realizadas o no, pero siempre generosas y abiertas, han funcionado muchas veces como sistemas de circulación del sentimiento, y es obvio que el mundo en crisis necesita esa savia."

La obra: Pedro y el Capitán

En 1974, en Cuba, y cuando los métodos de la represión política no habían alcanzado, en nuestros países, su grado de crueldad más alto, Benedetti comienza a pergeñar lo que entonces tenía forma de novela y un título elocuente, *El cepo*. Se trataba de una larga conversación entre un torturador y un torturado, pero no en el lugar mismo de la tortura y, además, centraba el diálogo en torno de cuestiones familiares y particulares, ambos aspectos muy originales. Su interés residía en mostrar cómo podía desenvolverse una relación que involucrara otras facetas de la vida de ambos, la parte esencialmente más humana, si esto era posible en el caso del torturador.

Así tomará forma este texto, ideado para la representación, que es *Pedro y el Capitán*. Dividido en cuatro partes que podrían ser cuatro actos según las convenciones teatrales, las pausas son sólo eso, breves intermedios que separan una sesión de tortura física de otra (entretanto se consuma la tortura psicológica que lleva a cabo el capitán). No hay cambio en la escenografía ni en el decorado: una sala semivacía, con apenas una mesa y una silla, además de un lavabo, constituyen el único espacio en el que ambos personajes dialogan, con todos los matices esperables en una comunicación que desarrolla un vínculo tan peculiar.

Pedro es uno de los tantos latinoamericanos que ha sido víctima de la persecución y la detención con "apremios físicos". Podría ser también chileno o argentino, pero lo advertimos uruguayo en algunas expresiones típicamente locales. Del mismo modo, el capitán: las mismas obsesiones, la misma estrategia e idéntica brutalidad para "arrancarle" al detenido los datos necesarios que justifiquen su tarea y acallar, al término de cada día, el reclamo oscuro de su conciencia.

Estas semejanzas con la metodología de dictaduras vecinas ha hecho que *Pedro y el Capitán* encuentre rápidos parecidos con muchos textos literarios que procuraron exorcizar la violencia política que se entronizó en Sudamérica, entre los 70 y los 80. *Las paredes* o *El campo*, por nombrar sólo dos obras de la escritora argentina Griselda Gambaro, *El señor Galíndez* de Eduardo Pavlovsky, también argentino, o *La muerte y la doncella* del chileno Ariel Dorfman, son algunos textos dramáticos que trataron la tortura. En los autores argentinos, la violencia física hacia un detenido constituye el núcleo dramático; en la obra de Dorfman se desarrolla el encuentro accidental entre un torturador y una mujer torturada muchos años después, cuando ese país debatía la procedencia o no del juicio y castigo a los culpables.

Pedro y el Capitán ha sido traducida a muchos idiomas,

ganó un premio en México a la mejor obra extranjera, fue representada al menos en nueve idiomas por grupos de teatro de casi todo el mundo y recibió el premio de Amnistía Internacional. Sin embargo, en Uruguay, no tuvo resonancia alguna. Al respecto ha dicho Benedetti:

"Aun a riesgo de parecer ingrato, y espero que me comprendan, la verdad es que cedería todos los éxitos obtenidos por la obra en el exterior a cambio de una buena acogida en mi propio país. La crítica la ignoró o la vapuleó y el público no fue a la sala: duró muy poco en cartel. Y tampoco gustó la película que se hizo sobre la obra. Alguna tecla falsa debo haber tocado desde el momento en que en Uruguay la obra pasó sin pena ni gloria. Pero yo no consigo descubrir cuál es esa tecla."[3]

Quizá la desilusión de Benedetti podría atenuarse si evaluara –como probablemente ya lo haya hecho– que, frente a estos espejos, nuestras sociedades ponen en marcha un mecanismo muy difícil de desentrañar: ni Griselda Gambaro con muchas de sus obras de temática similar (pero sobre todo con *El campo*) ni Ariel Dorfman con la obra mencionada, lograron en su propio país –donde la representación de los hechos debía tomar verdadera carnadura– una repercusión acorde. Al contrario, sólo hallaron inexplicables actitudes de indiferencia por parte de la crítica y del público.

La lectura y análisis de *Pedro y el Capitán* les proporcionará, sin duda, una experiencia muy rica, porque los hará reflexionar sobre nuestro pasado reciente, sobre nuestras estrategias conscientes o inconscientes para incorporarlo a nuestra memoria, además de apreciar los procedimientos del

[3] Paoletti, M. *El aguafiestas. La biografía de Mario Benedetti*, Seix Barral, Buenos Aires, 1995. p. 215.

lenguaje artístico que le dan forma a los hechos de la realidad, aun la más descarnada. Podrán juzgar cómo la literatura –aunque también el arte en general–, como dijo Lotman *"(es) una forma de conocimiento de la vida, de la lucha del hombre por la verdad que le es necesaria"*.[4] Y, más allá de la historia que el texto cuenta, observarán el recorrido de sus significados, que logran expandirse hacia otros ámbitos, donde el poder se ensaña y crea oprimidos y opresores.

Cronología de la obra de Mario Benedetti[5]

Poesía

La víspera indeleble (1945)

Sólo mientras tanto (1950)

Poemas de la oficina (1956)

Poemas del hoyporhoy (1961)

Noción de patria (1963)

Inventario Uno (1963)

Próximo prójimo (1965)

Contra los puentes levadizos (1966)

A ras de sueño (1967)

Letras de emergencia (1973)

Poemas de otros (1974)

La casa y el ladrillo (1977)

Cotidianas (1979)

Viento del exilio (1981)

El olvido está lleno de memoria (1984)

Antología poética (1984)

Preguntas al azar (1986)

---

[4] Lotman, Y. *Estructura del texto artístico*, Istmo, Madrid, 1978.

[5] El detalle cronológico y genérico ha sido extraído parcialmente de la biografía ya citada de M. Paoletti.

Yesterday y mañana (1987)
Las soledades de Babel (1991)
Inventario Dos (1994)
La vida ese paréntesis (1997)
Rincón de Haikus (1999)

CUENTOS

Esta mañana (1949)
Montevideanos (1959)
Datos para el viudo (1967)
La muerte y otras sorpresas (1968)
*Con y sin nostalgi*a (1977)
Geografías (1984)
Recuerdos olvidados (1988)
Despistes y franquezas (1989)
Cuentos (antología, 1982)
Cuentos completos (1986)
Buzón de tiempo (1999)

NOVELA

Quién de nosotros (1953)
La tregua (1960)
Gracias por el fuego (1965)
El cumpleaños de Juan Ángel (1971)
Primavera con una esquina rota (1982)
La borra del café (1992)

TEATRO

El reportaje (1958)
Ida y vuelta (1963)
Dos comedias (1968)
Pedro y el Capitán (1979)

PRÓLOGO

El tema de *Pedro y el Capitán* lo pensé inicialmente como una novela, e incluso le había puesto título: *El cepo*. Recuerdo que en un reportaje que en 1974 me hizo el crítico uruguayo Jorge Ruffinelli, como él me preguntara sobre mis proyectos literarios de entonces, le hablé justamente de una eventual futura novela, llamada *El cepo*, y le dije, más o menos: «Va a ser una larga conversación entre un torturador y un torturado, en el que la tortura no estará presente como tal, aunque sí como la gran sombra que pesa sobre el diálogo. Pienso tomar al torturador y al torturado no sólo en la prisión o en el cuartel, sino mezclados con la vida particular de cada uno». Bueno, pues eso es en realidad *Pedro y el Capitán*.

Yo definiría la pieza como una indagación dramática en la psicología de un torturador. Algo así como la respuesta a por qué, mediante qué proceso, un ser normal puede convertirse en un torturador. Ahora bien, aunque la tortura es, evidentemente, el tema de la obra, como hecho físico no figura en la escena. Siempre he creído que, como tema artístico, la tortura puede tener cabida en la literatura o el cine, pero en el teatro se convierte en una agresión demasiado directa al espectador y, en consecuencia, pierde mucho de su posibilidad removedora. En cambio, cuando la tortura es una presencia infamante, pero indirecta, el espectador mantiene una mayor objetividad, esencial para juzgar cualquier proceso de degradación del ser humano.

La obra no es el enfrentamiento de un monstruo y un santo, sino de dos hombres, dos seres de carne y hueso, ambos con zonas de vulnerabilidad y de resistencia. La distancia entre uno y otro es, sobre todo, ideológica, y es quizá ahí donde está la clave para otras diferencias, que abarcan la moral, el ánimo, la sensibilidad ante el dolor humano, el complejo trayecto que media entre el coraje y la cobardía, la poca o mucha capacidad de sacrificio, la brecha entre traición y lealtad.

Otro aspecto a destacar es que la obra, de alguna manera, propone una relación torturador-torturado, que, aunque ha sido escasamente tocada por el teatro, se da frecuentemente en el ámbito de la verdadera represión, por lo menos en la que se practica en el Cono Sur. En *Pedro y el Capitán* los cuatro actos son meros intermedios, treguas entre tortura y tortura, son los breves períodos en que el interrogador «bueno» recibe al detenido, que ha sido previa y brutalmente torturado, y, en consecuencia, es de presumir que tiene las defensas bajas.

El torturado puede no ser sólo una víctima indefensa, condenada a la ilevantable derrota o a la delación. También puede ser (y la historia reciente demuestra que miles de luchadores políticos la han encarado así) un hombre que derrota al poder aparentemente omnímodo, un hombre que usa su silencio casi como un escudo y su negativa casi como un arma, un hombre que prefiere la muerte a la traición. Pero aun para sostener esa actitud digna, entera, insobornable, el preso debe fabricarse sus propias verosímiles defensas y convencerse a sí mismo de su inexpugnabilidad. Cuando Pedro inventa la metáfora de que en realidad ya es un muerto, está sobre todo inventando una trinchera, un baluarte tras el cual resguardar su lealtad a sus compañeros y a su causa. En la obra hay dos procesos que se cruzan: el del militar que se ha transformado de «buen muchacho» en verdugo; el del preso que ha pasado de simple hombre común a mártir consciente. Pero quizá la verdadera tensión dramática no se dé en el diálogo, sino en el interior de uno de los personajes: el capitán.

No he querido representar en el preso a un militante de uno u otro sector político. La durísima represión ha abarcado virtualmente todo el espectro de la izquierda uruguaya, y hasta ha alcanzado a otros sectores de oposición, como pueden ser la Iglesia o los partidos tradicionales. Pedro es simplemente un preso político de izquierda que no delata a nadie, y que de algún modo humilla a su interrogador, venciéndolo mientras agoniza. Cada uno de los cuatro actos concluye con un no.

De más está decir que, aun en medio de la derrota que hoy sobrellevamos, no estoy por una literatura –y menos por un teatro– derrotista y lloriqueante, destinados a inspirar lástima y conmiseración. Tenemos que recuperar la objetividad, como una de las formas de recuperar la verdad, y tenemos que recuperar la verdad como una de las formas de merecer la victoria.

MARIO BENEDETTI
(1979)

Pedro y el Capitán

Primera parte

Escenario despejado: una silla, una mesa, un sillón de hamaca o de balance. Sobre la mesa hay un teléfono. En una de las paredes, un lavabo, con jabón, vaso, toalla, etcétera. Ventana alta, con rejas. No debe dar, sin embargo, la impresión de una celda, sino de una sala de interrogatorios. Entra PEDRO, *amarrado y con capucha, empujado por presuntos guardianes o soldados, que no llegan a verse. Es evidente que lo han golpeado; que viene de una primera sesión –leve– de apremios físicos.* PEDRO *queda inmóvil, de pie, allí donde lo dejan, como esperando algo, quizá más castigos. Al cabo de unos minutos, entra el* CAPITÁN, *uniformado, la cabeza descubierta, bien peinado, impecable, con aire de suficiencia. Se acerca a* PEDRO Y *lo toma de un brazo, sin violencia. Ante ese contacto,* PEDRO *hace un movimiento instintivo de defensa.*

CAPITÁN
No tengás miedo. Es sólo para mostrarte dónde está la silla.

Lo guía hasta la silla y hace que se siente.
PEDRO *está rígido, desconfiado.*

El CAPITÁN *va hacia la mesa, revisa unos papeles,
luego se sienta en el sillón.*

CAPITÁN
Te golpearon un poco, parece. Y no hablaste, claro.

PEDRO *guarda silencio.*

CAPITÁN
Siempre pasa eso en la primera sesión. Incluso es bueno que la gente no hable de entrada. Yo tampoco habla-
ría en la primera. Después de todo no es tan difícil
aguantar unas trompadas y ayuda a que uno se sienta
bien. ¿Verdad que te sentís bien por no haber hablado?

Silencio de PEDRO.

CAPITÁN
Luego la cosa cambia, porque los castigos van siendo pro-
gresivamente más duros. Y al final todos hablan. Para ser-
te franco, el único silencio que yo justifico es el de la primera sesión. Después es masoquismo. La cuenta que tenés
que sacar es si vas a hablar cuando te rompan los dientes
o cuando te arranquen las uñas o cuando vomites sangre o
cuando... ¿A qué seguir? Bien sabés el repertorio, ya que
constantemente ustedes lo publican con pelos y señales.
Todos hablan, muchacho. Pero unos terminan más enteros
que otros. Me refiero al físico, por supuesto. Todo depende
de en qué etapa decidan abrir la boca. ¿Vos ya lo decidiste?

Silencio de PEDRO.

CAPITÁN
Mirá, Pedro..., ¿o preferís que te llame Rómulo, como te
conocen en la clande? No, te voy a llamar Pedro, porque

aquí estamos en la hora de la verdad, y mi estilo sobre todo es la franqueza. Mirá, Pedro, yo entiendo tu situación. No es fácil para vos. Llevabas una vida relativamente normal. Digo normal, considerando lo que son estos tiempos. Una mujercita linda y joven. Un botija sanito. Tus viejos, que todavía se conservan animosos. Buen empleo en el Banco. La casita que levantaste con tu esfuerzo. *(Cambiando el tono.)* A propósito, ¿por qué será que la gente de clase media, como vos y yo, tenemos tan arraigado el ideal de la casita propia? ¿Acaso ustedes pensaron en eso cuando se propusieron crear una sociedad sin propiedad privada? Por lo menos en ese punto, el de la casita propia, nadie los va a apoyar. *(Retomando el hilo.)* O sea, que tenías una vida sencilla, pero plena. Y de pronto, unos tipos golpean en tu puerta a la madrugada y te arrancan de esa plenitud, y encima de eso te dan tremenda paliza. ¿Cómo no voy a ponerme en tu situación? Sería inhumano si no la entendiera. Y no soy inhumano, te lo aseguro. Ahora bien, te aclaro que aquí mismo hay otros que son casi inhumanos. Todavía no los has conocido, pero tal vez los conozcas. No me refiero a los que anoche te dieron un anticipo. No, hay otros que son tremendos. Te confieso que yo no podría hacer ese trabajo sucio. Para ser verdugo hay que nacer verdugo. Y yo nací otra cosa. Pero alguien lo tiene que hacer. Forma parte de la guerra. También ustedes tendrán, me imagino, trabajos limpios y trabajos sucios. ¿Es así o no es así? Yo seré flojo, puede ser, pero prefiero las faenas limpias. Como esta de ahora: sentarme aquí a charlar contigo, y no recurrir al golpe, ni al submarino, ni al plantón, sino al razonamiento. Mi especialidad no es la picana, sino el argumento. La picana puede ser manejada por cualquiera, pero para manejar el argumento hay que tener otro nivel. ¿De acuerdo? Por eso también yo gano un poco más que los muchachos eléctricos. *(Se da un golpe en la frente, como sorprendido por su hallazgo verbal.)* ¡Los muchachos eléctricos! ¿Qué te parece? ¿Cómo a nadie se le ocurrió antes llamarlos así? Esta noche en el casino se lo cuento al coronel: él tiene sentido del humor, le va a gustar. *(Calla un momento. Mira a* PEDRO, *que sigue inmóvil y callado.)* Si estás cansado de la posición, podés cruzar la pierna. (PEDRO *no se mueve.)* Parece que optaste por la resistencia pasiva. El flaco Gandhi sabía mucho de eso. Pero una cosa eran los hindúes contra los ingleses y otra muy distinta son ustedes contra nosotros. La resistencia pasiva hoy en día no resulta, no resuelve nada. Es, cómo te diré, anacrónica. Desde que los yanquis –¿viste que digo yanquis, igual que ustedes?– impusieron su estilo tan eficaz de represión, la resistencia pasiva se fue al carajo. Ahora la cosa es a muerte. Por eso yo creo que, aun en esta primera etapa, no te conviene empecinarte. Fíjate que ni siquiera me contestás cuando te pregunto algo. Eso no está bien. Porque, como habrás observado, yo no estoy aquí para maltratarte, sino sencillamente para hablar contigo. Vamos a ver, ¿por qué ese mutismo? ¿Será un silencio despreciativo? Pongamos que sí. Aquí, en esta guerra, todos nos despreciamos un poco. Ustedes a nosotros, nosotros a ustedes. Por algo somos enemigos. Pero también nos apreciamos otro poco. Nosotros no podemos dejar de apreciar en ustedes la pasión con que se entregan a una causa, cómo lo arriesgan todo por ella: desde el confort hasta la familia, desde el trabajo hasta la vida. No entendemos mucho el sentido de ese sacrificio, pero te aseguro que lo apreciamos. En compensación tengo la impresión de que ustedes también aprecian un poco la violencia que nos hacemos a nosotros mismos cuando tenemos que castigarlos, a veces hasta reventarlos, a ustedes que después de todo son nuestros compatriotas, y por añadidura compatriotas jóvenes. ¿Te parece que es poco sacrificio? También nosotros somos seres humanos y quisiéramos estar en casa, tranquilos, fresquitos y descansados, leyendo una buena novela policial o mirando la televisión. Sin embargo, tenemos que quedarnos aquí, cumpliendo horas extras para hacer sufrir a la gente, o, como en mi caso, para hablar con esa misma gente entre sufrimiento y sufrimiento. Mi *tempo* es el *intermezzo*, ¿viste? *(Cambiando de tono.)* ¿Te gusta la música, la ópera? Ya sé que no me vas a contestar... por ahora. *(Retomando el hilo.)* Pero lo que quería decirte es que sospecho que ustedes aprecian, no sé sí consciente o inconsciente, la pasión que nosotros, por nuestra parte, también ponemos en nuestro trabajo. ¿Es así? *(Por primera vez, el tono de la pregunta empieza a ser conminatorio.* PEDRO *no responde ni se mueve.)* Decime un poco... A vos no tengo que explicarle las reglas del juego. Las sabés bien y hasta tengo entendido que reciben cursillos para enfrentar situaciones como esta que vivís ahora. ¿O no sabés que entre nosotros hay interrogadores «malos», casi bestiales, esos que son capaces de deshacer al detenido, y están también los «buenos», los que reciben al preso cuando viene cansado del castigo brutal, y lo van poco a poco ablandando? Lo sabés, ¿verdad? Entonces te habrás dado cuenta de que yo soy el «bueno». Así que de algún modo me tenés que aprovechar. Soy el único que te puede conseguir alivio en las palizas, brevedad en los plantones, suspensión de picana, mejora en las comidas, uno que otro cigarrillo... Por lo menos sabés que mientras estás aquí, conmigo, no tenés que mantener todos los músculos y nervios en tensión, ni hacer cálculos sobre cuándo y desde dónde va a venir el próximo golpe. Soy algo así como tu descanso, tu respiro. ¿Estamos? Entonces no creo que sea lo más adecuado que te encierres en ese mutismo absurdo. Hablando la gente se entiende, decía siempre mi viejo, que era rematador, o sea, que tenía sus buenas razones para confiar en el uso de la palabra. Te digo esto para que te hagas una composición de lugar y no te excedas en tus derechos, si no querés que yo me exceda en mis deberes. Puedo respetar el derecho que tenés a callarte la boca, aquí, frente a mí, que no pienso tocarte. Pero quiero que sepas que no estoy dispuesto a representar el papel de estúpido, dándote y dándote mi perorata, y vos ahí, callado como un tronco. Tampoco esperes imposibles de parte del «bueno». Sobre todo cuando el «bueno» conoce algunos pormenores de tu trayectoria. Pedro, alias Rómulo. Más aún –y para que no te autotortures además de lo que vayan a torturarte–, te diré que no tenés ninguna necesidad de hablar de Tomás ni de Casandra ni de Alfonso. La historia de esos tres la tenemos completita. No nos falta ni un punto ni una coma, ni siquiera un paréntesis. ¿Para qué te vamos a romper la crisma pidiéndote datos que ya tenemos y que además hemos verificado? Sería sadismo, y nosotros no somos sádicos, sino pragmáticos. En cambio, sabemos relativamente poco de Gabriel, de Rosario, de Magdalena y de Fermín. En alguno de estos casos, ni siquiera sabemos el nombre real o el domicilio. Fijate qué amplio margen tenés para la ayuda que podés prestarnos. Ahora, eso sí, para completar esas cuatro fichas, y como sabemos a ciencia cierta que vos sos en ese sentido el hombre clave, estamos dispuestos –no yo, en lo personal, digo nosotros como institución– a romperte no sólo la crisma, sino los huevos, los pulmones, el hígado, y hasta la aureola de santito que alguna vez quisiste usar, pero te queda grande. Como ves, pongo las cartas sobre la mesa. No podrás acusarme de retorcido ni de ambiguo. Esta es la situación. Y como de alguna manera me caés simpático, te la digo bien claramente para que sepas a qué atenerte. O sea, que te tengo simpatía, pero no lástima ni piedad. Y por supuesto hay aquí, en esta unidad militar –que nunca sabrás cuál es–, gente que, por principio y sin necesidad de saber nada de vos, no te tiene simpatía, y es capaz de llevarte hasta el último limite. Y no sólo a vos. Ellos, los de la línea durísima, prefieren a veces traer a la esposa del acusado, y, cómo te diré, «perforarla» en su presencia, y hasta hay quienes son partidarios de la técnica brasileña de hacer sufrir a los niños delante de sus padres, sobre todo de su madre. Te imaginarás que yo no comparto esos extremos, me parecen sencillamente inhumanos, pero sí vamos a ser objetivos, tenemos que admitir que tales extremos constituyen una realidad, una posibilidad, y no me sentiría bien si no te lo hubiera advertido y un día te encontraras con que algún orangután, como esos que anoche te dieron sus piñazos de introducción, violara frente a vos a esa linda piba que es tu mujercita. Se llama Aurora, ¿no? Seguro que en ese caso te quitarían la capucha. Son orangutanes, pero refinados. ¿Cuánto tiempo llevan de casados? ¿Es cierto que el último veintidós de octubre celebraste tus ocho años de matrimonio? ¿Le gustó a Aurora la espiguita de oro que le compraste en la calle Sarandí? ¿Y qué me contás si llegan a traer a Andresito y empiezan a amasijarlo en tu presencia? Esto último, como te decía, aún no ha sido aprobado como recurso, pero los asesores lo tienen a estudio, y, claro, siempre habrá alguno que tendrá que ser el pionero. Nunca estaré de acuerdo con esos procedimientos, porque confío plenamente en el poder de persuasión que tiene un ser humano frente a otro ser humano. Más aún, estimo que los muchachos eléctricos usan la picana porque no tienen suficiente confianza en su poder de persuasión. Y además consideran que el preso es un objeto, una cosa a la que hay que exprimir por procedimientos mecánicos, a fin de que largue todo su jugo. Yo, en cambio, nunca pierdo de vista que el detenido es un ser humano como yo. ¡Equivocado, pero ser humano! Vos, por ejemplo, así como estás, callado e inmóvil, podrías ser simplemente una cosa. Quizá lo que estás tratando es de cosificarte frente a mí, pero por quieto y mudo que permanezcas, yo sé que no sos un objeto, yo sé que sos un ser humano, y sobre todo un ser humano con puntos sensibles. Puntos sensibles que, claro, no poseen las cosas. *(Pausa.)* ¡Ya pensaste en los huevos, claro! Cuando alguien habla de puntos sensibles, es de cajón: las mujeres piensan en las tetas, y los hombres en los huevos. Un matiz que es muy importante no olvidar. Ya lo decía el pobre Mitrione, que se las sabía todas: «Dolor preciso, en el lugar preciso, en la proporción precisa elegida al efecto.» Es claro que, desde el punto de vista de tus respetables convicciones, es bravo plantearse a sí mismo la mera posibilidad de hablar, de entregar datos, referencias. No es simpático que a uno lo acusen de traidor. Pero aquí hay un elemento que acaso vos ignoras. Un tratamiento de los que dispensamos sólo a gente que nos cae bien, como vos, muchacho. Te damos la posibilidad de que nos ayudes y, sin embargo, no quedes mal con tus compañeros. ¿Qué te parece? A lo mejor creés que es imposible. Te parecerá vanidad de mi parte, pero para nosotros nada es imposible. ¿Querés que te lo explique? El plan tiene cuatro capítulos. Primero. Vos hablás, cuanto antes mejor, así no tenemos necesidad de amasijarte: nos decís todo, todito, acerca de Gabriel, Rosario, Magdalena y Fermín. Fijate que podíamos ponerte una lista con veinte nombres, y, sin embargo, de buenos que somos, incluimos sólo cuatro. Cuatro, ¿te das cuenta? Una bicoca. Segundo. Llevamos a cabo algunos procedimientos, de acuerdo a los informes que espontáneamente, ¿entendés?, espontáneamente, nos proporciones. Es claro que esos procedimientos nos sirven, entre otras cosas, para comprobar si efectivamente estás colaborando, o, por el contrario, querés tomarnos el pelo. No te aconsejo la segunda opción. Si, en cambio, confirmamos la primera, no te vamos a soltar enseguida, claro. Eso por tu bien, para que tus compañeros no sospechen. Dejamos pasar un tiempo prudencial y después te largamos. Lindo, ¿no? Tercero. Inventamos un documento en clave, o una lista de teléfonos, o cualquier otra cosa en la que nos pondríamos fácilmente de acuerdo, y hacemos público que la *razzia* se debió al descubrimiento fortuito de esa nómina o lo que sea, y sobre todo a nuestra capacidad deductiva, así de paso quedamos bien. Como ustedes lo tienen todo compartimentado, cada célula creerá que la lista proviene de otro berretín. Cuarto. Te soltamos por fin, y vos, cuando te juntes con los muchachos, les decís que negaste todo con tanta firmeza que nos convenciste de tu inocencia. ¿Qué te parece? (PEDRO *sigue inmóvil.*) Te advierto que no podés esperar, verosímilmente, una solución mejor que esta que te estoy proponiendo. Tené en cuenta que no se ha empleado nunca hasta ahora, de modo que las sospechas sobre vos no harán carrera. Más aún, tengo la impresión de que vas a salir favorecido en cuanto a prestigio y autoridad. Y de paso te libras de toda esa porquería. Sos muy joven para destruirte porque sí, para arruinarte. Podrías volver con Aurora y con el pibe. ¿No se te hace agua la boca? Aurora te recibiría como a un héroe, y, claro, al principio tendrías algún remordimiento, pero con una mujercita como la tuya los remordimientos se esfuman en la cama. Eso sí, tenés que responderme. Hasta ahora soporté que no dijeras nada. Pero pocos detenidos tienen el privilegio de recibir una propuesta tan generosa. ¿Por qué me habrás caído tan bien? De manera que tenés que responderme. Para que vos y yo sepamos a qué atenernos. Concretemos, pues; frente a esta propuesta, ¿estás dispuesto a hablar, estás dispuesto a darnos la información que te pedimos? *(Se hace un largo silencio.* PEDRO *sigue inmóvil. El* CAPITÁN *sube el tono.)* ¿Estás dispuesto a hablar? *(La capucha de* PEDRO *se mueve negativamente.)*

Segunda parte

El mismo escenario, desierto.
Pasados unos minutos, PEDRO *(siempre amarrado y con capucha) es nuevamente arrojado a escena, como en la escena anterior, pero con más violencia. Ahora está más deteriorado. Es evidente que el castigo sufrido ha sido severo.* PEDRO *busca a tientas la silla. Por fin la encuentra y a duras penas se sienta. De vez en cuando sale de su boca un ronquido apenas audible. Entra el* CAPITÁN: *igual aspecto y vestimenta que en la escena anterior. Observa detenidamente a* PEDRO, *como haciendo inventario de sus nuevas magulladuras y heridas.*

CAPITÁN *(todavía de pie, con las piernas abiertas y los brazos cruzados)*
¿Viste? Ya empezó el *crescendo*. No podrás decir que no te lo advertí. ¡Mirá que son bestias estos subordinados! Y hay que dejarlos hacer. De lo contrario, capaz que nos revientan a nosotros. *(Pausa.)* ¿Te lo creíste? No, lo digo en broma. Pero la verdad es que hay más de un oficial que les tiene miedo. *(Pausa.)* ¿Y qué tal? Te dejé tiempo para que lo pensaras. ¿Lo pensaste? *(Silencio e inmovilidad de* PEDRO.) Te advierto una cosa. No creas que vamos a seguir todo un semes-

tre en esta situación, digamos estancada. Por un lado, no creo que tu físico vaya a aguantar mucho tiempo. No sos lo que se dice un atleta. No me refiero a mis preguntas, claro, sino a los muchachos eléctricos. *(Cambiando de tono.)* A propósito, mí broma le hizo mucha gracia al coronel. No sólo se rió, sino que me dijo: «Capitán, tenemos que cuidar que no haya un solo apagón.» El chiste no es bueno, pero me reí, qué iba a hacer. *(Retomando el hilo.)* ¿Qué te estaba diciendo? Ah, sí, que estábamos estancados. Por mi parte, quiero salir de este estancamiento. Me imagino que vos también. Por eso he decidido introducir un elemento nuevo en la situación. *(Pausa.)* ¿No te pica la curiosidad? ¿Qué será, eh? ¿Un testigo? ¿Alguien que ya te delató? *(Nueva pausa, destinada a crear expectativa.)* No, nada de eso. El nuevo elemento van a ser tus ojos. Quiero que veas y que yo pueda ver cómo ves. *(Se acerca a* PEDRO *y de un tirón le quita la capucha.* PEDRO *tiene la cara con heridas y huellas de golpes: abre y cierra varias veces los ojos encandilados.)* Bueno, bueno. *(Sonríe.)* Mucho gusto. Es mejor vernos las caras, ¿no? Nunca me ha gustado dialogar con una arpillera. Hay algunos colegas que no quieren que el detenido los vea. Y alguna razón tienen. El castigo genera rencores, y uno nunca sabe qué puede traernos el futuro. ¿Quién te dice que algún día esta situación se invierta y seas vos quien me interrogue? Si eso llegara a ocurrir, te prometo colaborar un poco más que vos. Pero no va a ocurrir, no te ilusiones. Hemos tomado todas las precauciones para que no ocurra. Por otra parte, a mí no me preocupa que conozcas mi cara. Lo más que podrás achacarme es que estuve preguntando y preguntando, pero eso no genera rencor, creo. ¿O lo genera? *(Pausa.)* Así, sin capucha, te es un poco más difícil hablar, ¿verdad?

PEDRO

Sí.

CAPITÁN

¡Caramba! Primer monosílabo. Toda una concesión. ¡Bravo!

PEDRO *(tiene cierta dificultad al hablar, debido a la hincha-zón de la boca)*

Quiero aclararle que el hecho de que usted no partici-pe directamente en mi tortura, no garantiza que no lo odie, ni siquiera que lo odie menos.

CAPITÁN *(se sorprende un poco, pero reacciona)*
Está bien. Me gusta el juego limpio.

PEDRO

No. No le gusta. Pero no importa. Quiero decirle, ade-más, que con capucha no abrí la boca porque hay un mí-nimo de dignidad al que no estoy dispuesto a renunciar, y la capucha es algo indigno.

CAPITÁN *(después de un silencio)*
Eso del odio, ¿por qué lo dijiste?

PEDRO

¿Por qué lo dije?

CAPITÁN

Sí. Puedo comprender que lo sientas. En cambio, no puedo comprender que me lo digas así, descaradamen-te. Aquí soy yo el que está arriba, y vos sos el que está abajo. ¿O te olvidaste?

PEDRO

No, no me olvidé.

CAPITÁN

Y mostrar odio, genera odio.

PEDRO

Claro.

CAPITÁN

Te advierto que no voy a entrar en ese juego. Soy cristiano, pero no acostumbro a poner la otra mejilla.

PEDRO

Por supuesto. El que las pongo soy yo, y mire cómo las tengo. Las mejillas y la espalda y las piernas y las uñas.

CAPITÁN

Y mañana los huevos.

PEDRO

Si usted lo dice.

CAPITÁN

Lo digo, lo ordeno y otros lo cumplen. ¿Qué te parece? *(Gesto de* PEDRO*. El* CAPITÁN *suelta una risita nerviosa.)* De todas maneras, te aconsejo que no me provoques, soy de pocas pulgas, ¿sabés?

PEDRO

Lo sé. Quizá yo sepa más de usted que usted de mí.

CAPITÁN *(Con ironía)*

¡No me digas!

PEDRO

Sí le digo. En su afán de extraerme lo que sé y lo que no sé, usted no advierte que se va mostrando tal cual es.

CAPITÁN

¿Y cómo soy?

PEDRO

Bah…

CAPITÁN

Me parece que te pregunté cómo soy.

PEDRO

Sí, ya sé. Pero es absurdo. Me mete en cana, hace que me revienten, y encima exige que le sirva de analista. ¡Eso no!

CAPITÁN

Después de todo, ya me imagino cómo soy.

PEDRO

Entonces estoy de acuerdo con ese autodiagnóstico.

CAPITÁN

¿Y si me imagino noble y digno?

PEDRO

¿Sabe lo que pasa? Usted no puede venderse a sí mismo un tranvía. *(Pausa muy breve.)* No se puede imaginar noble y digno.

CAPITÁN *(gritando)*

¡Callate!

PEDRO

¿Cómo? ¿No quería que hablara? Y ahora que me decido a hablar...

CAPITÁN *(más bajo, pero concentrado)*

Callate, estúpido.

PEDRO

Está bien.

CAPITÁN *(al cabo de un rato, más calmo, como si recapacitara)*

Después de todo, a lo mejor no me considero noble y digno. Pero ¿a quién le importan mi nobleza y mi dignidad? ¿Eh? ¿A quién?

PEDRO

Deberían importarle a usted. Lo que es a mí...

CAPITÁN

¿Eso también está en las instrucciones? ¿Establecer una distancia sanitaria con el interrogador?

PEDRO

Es usted quien establece la distancia. ¿Cómo puede haber comunicación, aproximación, diálogo, etcétera, entre un torturado y su torturador?

CAPITÁN *(con cierta alarma)*

Yo ni siquiera te he tocado.

PEDRO

Sí, ya sé; es el «bueno». Pero ¿es que aquí hay «buenos» y «malos»? ¿Usted no será como el mastodonte que me hace el submarino, como la bestia que me aplica la picana? ¿El mismo engranaje, la misma máquina? ¿Acaso usted mismo puede creer que hay diferencia?

CAPITÁN
Te estás pasando de insolente.

PEDRO
Entonces vuelvo a callarme.

CAPITÁN *(después de un silencio)*
¿Y no quisieras preguntarme nada?

PEDRO *(sorprendido)*
¿Preguntar yo?

CAPITÁN
Sí, preguntar vos.

PEDRO
¿De qué se trata? ¿Una nueva técnica post-Mitrione?

CAPITÁN
A lo mejor.

PEDRO *(recapacitando)*
Bueno, voy a preguntarle: ¿tiene familia?

CAPITÁN *(a su vez sorprendido)*
¿Y a vos qué te importa?

PEDRO
Como importarme, nada. A quien debe importarle, si la tiene, es a usted.

CAPITÁN
¿Me estás amenazando?

PEDRO
¡Eso se llama deformación. profesional! Ustedes, cuando se acuerdan de la familia de uno, es siempre para amenazar.

CAPITÁN
Y entonces ¿para qué querés saber?

PEDRO
Porque si tiene padres, mujer e hijos, debe ser jodido para usted cuando vuelve a casa.

CAPITÁN *(gritando)*
¿Qué decís?

PEDRO
Me explico: que para usted debe ser jodido, después de interrogar a un recién torturado, darle un besito a su mujer o a su hijo, si lo tiene.

> El CAPITÁN *se levanta de un salto, perdida toda compostura, y le da a* PEDRO *un puñetazo en la boca.*

PEDRO *(trata de mover los labios, y habla con más dificultad que antes)*
Menos mal que usted es el bueno.

CAPITÁN
Todo tiene su límite.

PEDRO
Se va a arruinar, capitán. No olvide que el «bueno» no puede ni debe propinar piñazos a un hombre amarrado.

(Pausa.) De todas maneras, le comunico que no puede competir con sus colegas de la noche. Ellos lo hacen muchísimo mejor. Y es lógico. Lo que ellos hacen eléctricamente, usted lo hace a tracción a sangre. Así no se puede competir.

CAPITÁN
Dije basta.

PEDRO
¿No lo reñirán cuando se den cuenta de que perdió la calma? Violó las normas, capitán.

CAPITÁN *(hablando entre dientes)*
Mira, mocoso, callate.

PEDRO
No le gustó lo de la familia, ¿eh? Primero: quiere decir que la tiene. Segundo: que no es tan insensible.

CAPITÁN *(más calmo)*
¿Vas a hablar entonces?

PEDRO
Estoy hablando, ¿no?

CAPITÁN
Sabés a qué me refiero.

PEDRO
Capitán: no saque conclusiones descabelladas.

CAPITÁN *(desorientado)*
Pero ¿por qué?, ¿por qué? *(Gesto de* PEDRO.*)*
¿No te das cuenta, cretino, de que te están utilizando?

¿No te das cuenta de que otros ponen las ideas y vos ponés la cara?

PEDRO

Está bien esa frase. ¿De dónde la sacó? *(Pausa.)*
Incluso a veces puede ser cierta.

CAPITÁN

¿Y entonces?

PEDRO

Entonces, nada. Lo esencial no es el defecto individual...

CAPITÁN *(concluyendo la frase)*

...sino la voluntad colectiva. Párrafo siete, inciso (a), de la declaración interna que analizaron ustedes en agosto.

PEDRO

Y si conocen la declaración de agosto, ¿para qué toda esta farsa?

CAPITÁN

Una cosa es la declaración, y otra sos vos.

PEDRO

O sea, que tenemos un soplón.

CAPITÁN

¿Porqué no? ¿Qué esperabas?

PEDRO

¿Y cómo es que no les dijo todo sobre Gabriel, Rosario, Magdalena y Fermín?

CAPITÁN
Porque no lo sabe.

PEDRO
Ah.

CAPITÁN
En cambio, si sabía de vos y por eso caíste. Y además nos dijo que vos si sabías sobre los otros cuatro.

PEDRO
Ah.

CAPITÁN *(después de un largo silencio)*
Decime un poco, ¿vos sabés lo que te espera?

PEDRO
Me lo imagino.

CAPITÁN
Tal vez sea bastante peor de lo peor que imaginás. Diariamente hacemos progresos.

PEDRO
Lo que imagino siempre es peor.

CAPITÁN
Pero ¿qué sos?, ¿un suicida?

PEDRO
Nada de eso. Me gusta bastante vivir.

CAPITÁN
¿Vivir reventado?

PEDRO

No, vivir simplemente.

CAPITÁN

Yo te ofrezco que vivas, simplemente.

PEDRO

No, simplemente no. Usted me ofrece que viva como un muerto. Y antes que eso prefiero morir como un vivo.

CAPITÁN

Bah, frases.

PEDRO

Se la dije a propósito. Pensé que le gustaban. Ustedes, cuando dicen un discurso, hablan siempre en bastardilla.

CAPITÁN (*después de un silencio*)

Antes me preguntaste por la familia. Sí, tengo mujer y un casalito. El varón, de siete años; la niña, de cinco. Es cierto que a veces, cuando llego del trabajo, es difícil enfrentarlos. Aquí no torturo, pero oigo demasiados gemidos, gritos desgarradores, bramidos de desesperación. A veces llego con los nervios destrozados. Las manos me tiemblan. Yo no sirvo demasiado para este trabajo, pero estoy entrampado. Y entonces encuentro una sola justificación para lo que hago: lograr que el detenido hable, conseguir que nos dé la información que precisamos. Es claro que siempre prefiero que hable sin que nadie lo toque. Pero ese ejemplar ya no se da, ya no viene. Las veces que conseguimos algo, es siempre mediante la máquina. Es lógico que uno sufra de ver sufrir. Dijiste que no era insensible, y es cierto. Entonces, fijate, la única forma de redimirme frente a los niños, es ser consciente de que por lo menos estoy consiguiendo el objetivo que nos han asignado: obtener información, Aunque a ustedes tengamos que destruirlos. Es de vida o muerte. O los destruimos o nos destruyen. Vida o muerte. Vos metiste el dedo en la llaga cuando mencionaste mi familia. Pero también me hiciste recordar que de cualquier manera tengo que hacerte hablar. Porque sólo así me sentiré bien ante mi mujer y mis hijos. Sólo me sentiré bien si cumplo mi función, si alcanzo mi objetivo. Porque de lo contrario seré efectivamente un cruel, un sádico, un inhumano, porque habré ordenado que te torturen para nada, y eso sí es una porquería que no soporto.

PEDRO *(lo mira con cierta curiosidad, con un interés casi científico, como quien examina una especie extinguida)*
¿Algo más?

CAPITÁN
Sí, una pregunta. Es la misma de antes, pero aspiro a que ahora la entiendas mejor, confío en que te des cuenta de toda la vida que pongo detrás de ella. ¿Vas a hablar?

PEDRO *(todavía estupefacto ante la perorata del* CAPITÁN, *pero sin perder nada de su fuerza)*
No, capitán.

Tercera parte

El mismo escenario.

El CAPITÁN *está en el sillón, meciéndose como ensimismado. Ha perdido la compostura y el atildamiento de las escenas anteriores. Está despeinado, se ha desabrochado la camisa y tiene floja la corbata. Se inclina sobre la mesa y descuelga el tubo del teléfono.*

CAPITÁN
¡Tráiganlo! (Cuelga.)

Otra vez vuelve a mecerse en el sillón. A veces parece respirar con dificultad. Transcurren varios minutos, Se oyen ruidos cercanos. PEDRO *es arrojado en la habitación. Tiene capucha. La ropa está desgarrada y con abundantes manchas de sangre. Queda tendido en el suelo, inmóvil. El* CAPITÁN *se le acerca. Sin quitarle la capucha, lo examina, ve sus múltiples heridas y contusiones. Cuando le toma un brazo, se oye un ronco quejido. Entonces lo suelta. Parece desorientado y se aleja de aquel cuerpo.*

CAPITÁN
¡Pedro!

El cuerpo no responde, pero trata de moverse.
El CAPITÁN *vuelve a acercarse, y esta vez lo sostiene con fuerza y lo lleva hasta la silla. Pero el cuerpo de* PEDRO *se inclina hacia un costado.*
El CAPITÁN *lo sostiene y vuelve a acomodarlo.*
Cuando comprueba que por fin tiene estabilidad, regresa a su sillón y de nuevo se mece.
Debajo de la capucha empiezan a oírse ciertos sonidos, pero al principio no se distingue si se trata de risa o de llanto. El cuerpo se sacude.
El CAPITÁN *suspende su balanceo, y espera, tenso. Pero el ruido sigue, confuso, ambiguo. Entonces se pone de pie, va hacia* PEDRO, *y de un tirón le quita la capucha. Sólo entonces se hace evidente que* PEDRO *ríe. Con un rostro totalmente deformado y tumefacto, pero ríe.*

CAPITÁN
¿De qué te ríes, estúpido?

PEDRO *(como si el* CAPITÁN *no le hubiera hablado)*

Y en plena sesión de picana, sobrevino el apagón, ese mismo apagón que previó su maldito coronel. Y pobres, los mastodontes no sabían qué hacer, porque sin corriente no son nada. Y estaba aquella muchacha con la picana en la vagina, y cuando vino el apagón no sé cómo les pudo dar una patada. Y el bestia prendió un fósforo, pero la picana *(ríe)* no marcha a fósforos. *(Ríe a carcajadas.)* No marcha a fósforos. *(A partir de este momento y durante casi toda la escena,* PEDRO *dará la impresión de alguien que delira, o quizá, de alguien que simula estar delirando. Es im-*

portante que se mantenga esta ambigüedad.) Quedaba la pileta, claro, con su agüita de mierda y sus soretes boyando, pero es difícil hacerlo a oscuras. La pileta no es eléctrica, claro, pero a veces le dan su corrientita. Y no es confortable hacerlo en mitad de un apagón. A oscuras no puede saberse cuándo el tipo no da más. El doctor precisa buena iluminación para diagnosticar la proximidad del paro cardíaco. Así hubo que suspender la sesión.

CAPITÁN
Pedro.

PEDRO
Me llamo Rómulo.

CAPITÁN
No, te llamas Pedro,

PEDRO
A lo sumo Rómulo, alias Pedro.

CAPITÁN
No me confundas. Pedro, alias Rómulo.

PEDRO
Nada.

CAPITÁN
¿Qué?

PEDRO
Nada, no tengo nombre ni alias. Nada.

CAPITÁN
Pedro.

PEDRO

Pedro Nada. Nada es mi apellido paterno. ¿No lo sabía, capitán? Se lo estoy revelando en este preciso instante. ¿No llama al taquígrafo? Es una declaración importante. ¿O tiene puesto el grabador? Pedro Nada. Y mi apellido materno es Más. O sea, completito: Pedro Nada Más. *(Ríe dificultosamente.)*

CAPITÁN *(espera que concluya la risa de* PEDRO*)*

¿Qué te pasa?

PEDRO

Como pasarme, pasarme, nada importante. Estoy en la muerte, y chau. Pero a esta altura la muerte no me importa.

CAPITÁN

Estás vivo. Y podés estar más vivo aún.

PEDRO

Se equivoca, capitán. Estoy muerto. Estamos como quien dice en mi velorio.

CAPITÁN

No te hagas el delirante. Conmigo no va ese teatro.

PEDRO

No es teatro, capitán. Estoy muerto. No sabe qué tranquilidad me vino cuando supe que estaba muerto. Por eso ahora no me importa que me apliquen electricidad, o me sumerjan en la mierda, o me tengan de plantón, o me revienten los huevos. No me importa porque estoy muerto y eso da una gran serenidad, y hasta una gran alegría. ¿No ve que estoy contento?

CAPITÁN

Sos el primer muerto que habla como un loro.

PEDRO

Muy bien, capitán, excelente: se dio cuenta de la contradicción. Se está entrenando para la dialéctica, ¿eh? Estoy muerto y hablo como un loro. ¡Bravo, capitán! ¿Quién hubiera dicho que iba a llegar a tan brillante conclusión? ¡Bravísimo! Pido que conste en la grabación mi voluntad de aplaudir; no mis aplausos, claro, porque estoy amarrado. *(Pausa.)* Le debo una explicación. Quiero decir que estoy *técnicamente* muerto, pero todavía funciono como cuerpo, es decir, hago pichí, me hago caca. No diría que eructo, porque como me matan a hambre, no tengo prácticamente nada para eructar. Ahora bien, digo que estoy *técnicamente* muerto porque no me van a extraer ni un solo numerito de teléfono, ni siquiera el número de mí camisa, y, en consecuencia, me van a seguir dando y dando. Y este cuerpito frágil ya aguanta poco más, muy poco más. Como usted bien observó, capitán, no soy un atleta. Y como me van a seguir dando y dando, bueno, por eso estoy muerto, *técnicamente* muerto. ¿Entendió, capitán? No sabe qué tranquilidad me vino cuando me di cuenta. Todo cambió. Por ejemplo: a usted le tenía odio, y se lo dije, y, en cambio, dado que estoy muerto, ahora le tengo lástima. Siento que por primera vez les saqué una ventaja considerable, casi diría inconmensurable.

CAPITÁN

No estés tan seguro. ¿Cómo sabés hasta dónde aguantarás? Eso sólo se sabe cuando llega el momento. Aguantaste hasta ahora. Pero ya te dije antes que no hemos llegado al máximo: que todos los días descubrimos algo nuevo.

PEDRO

Reconozco que ésa era la preocupación que tenía cuando estaba vivo: hasta dónde podría aguantar. Porque cuando uno está vivo, quiere seguir viviendo, y eso es siempre una tentación peligrosa. En cambio, la tentación se acaba cuando uno sabe que está muerto.

CAPITÁN

¿Y el dolor?

PEDRO

Es cierto: el dolor. Qué importante es el dolor cuando uno está vivo. Pero qué poquito significa cuando uno está muerto.

CAPITÁN

Vos no estás muerto, carajo. *(Pausa.)* Pero a lo mejor estás loco.

PEDRO

Le hago una concesión, capitán: loco, pero muerto.

CAPITÁN

O te pasas de vivo.

PEDRO

¡Otra observación sagaz, capitán! Porque nadie se puede pasar de muerto.

CAPITÁN *(impaciente)*

¡Pedro!

PEDRO

Pedro Nada Más.

CAPITÁN
¡Me cago en tu nombre completo!

PEDRO
Le comunico que se ha cagado usted en un cadáver, y eso, en cualquier parte del mundo y bajo cualquier régimen, constituye una falta de respeto.

CAPITÁN *(tratando de llevar el diálogo a un cauce más normal)*
Tenés que hablar, Pedro. Te soy franco: te he tomado simpatía. No quiero que te revienten.

PEDRO
Ya me reventaron, capitán. Su rapto de bondad llegó tarde. ¡Cuánto lo lamento! Ya no tengo hígado, y es probable que no tenga huevos. Por las dudas, no me he fijado.

CAPITÁN
No quiero que te destruyan.

PEDRO
¿Por qué habla en tercera persona plural?

CAPITÁN
No quiero que te destruyamos.

PEDRO
Así está mejor. ¿No le gustan las ruinas? Digamos Pompeya, Herculano, Machu Pichu, Pedro Nada Más, etcétera.

CAPITÁN
Callate, tarado.

PEDRO

Los que se callan son los vivos. ¿Se acuerda, capitán, cómo me callaba cuando estaba vivo? Pero los muertos
podemos hablar. Con la poquita lengua, la apretada garganta, los cuatro dientes, los labios sangrantes, con ese
poco que ustedes nos dejan, los muertos podemos hablar. *(Pausa.)* De su familia, por ejemplo.

CAPITÁN

¿Otra vez? ¿Por qué no hablamos de la tuya?

PEDRO

O de la mía, ¿por qué no?

CAPITÁN

De tu mujer.

PEDRO

De mi viuda, dirá. En realidad, Aurora...

CAPITÁN *(tajante)*

Alias, Beatriz.

PEDRO *queda en silencio. La cabeza le cae sobre el pecho.*

CAPITÁN *(sonríe)*

¿Cómo? ¿No estabas muerto? Parece que todavía tenés
reflejos.

PEDRO *sigue inmóvil, siempre con la cabeza caída hacia adelante.*

CAPITÁN

Aurora, alias Beatriz. ¿No te había dicho que todos los
días ponemos cartas sobre la mesa?

PEDRO *va de poco a poco levantando cabeza, pero ahora su mirada está como perdida en algún punto lejano. Empieza a hablar en tono muy bajo, casi un susurro, y luego de a poco va subiendo la voz.*

PEDRO
Cuando yo era chico, soñaba con el mar. Ahora que tengo doce años, prefiero verlo. Nicolás dice que no es mar. Nicolás...

CAPITÁN *(acotando)*
Alias Esteban...

PEDRO
...dice que es río. Pero en los ríos se ve siempre la otra orilla y aquí no. Y además no son salados. Y éste es salado. Así que yo lo llamo mar. Lo llamo mar. Y cuando lo llamo, hundo los pies en la arena, y la arena se mete entre mis dedos. Me hace cosquillas.

CAPITÁN *(como contagiado por* PEDRO, *él también se transfigura. Uno y otro van hablando alternativamente, sin dialogar. En realidad, son dos monólogos cruzados)*

Yo tenía que darle una rosa. No sé por qué, pero tenía. Ella venía con su madre y su prima. Ella venía y yo la miraba, pero yo tenía que darle una rosa. Y una tarde la robé del jardín de la embajada, y el policía me corrió y dijo botija de mierda y me corrió, pero yo corrí más y me vino asma. Pero cuando llegué al parque, cuando llegué a la fuente, ya me había pasado el asma, aunque igual me saltaba el corazón, y entonces me acerqué y le di la rosa y ella primero me miró sorprendida, luego pestañeó y enseguida arrojó la rosa al agua de la fuente.

PEDRO

Yo quería ser vagabundo y a los trece me fui de casa. Y caminé toda la mañana y me sentía eufórico, libre, feliz. Y como tenía en el bolsillo un vuelto que era de mamá, al mediodía me compré dos especiales de jamón y queso, y una malta. Y a la tarde, debido al sol tan fuerte, me quedé dormido en un banco de la plaza, y sólo me desperté con la sirena de los bomberos. Pero ellos pasaron de largo y yo caminé y caminé, con perros siguiéndome y sin perros, y entonces me empezaron a doler las rodillas y se encendieron los faroles de la calle, y cuando estaba a punto de llorar me vio mamá desde la vereda de enfrente y gritó mijito y ahí terminó mi carrera de vago.

CAPITÁN

Andrés me seguía a todas partes porque me odiaba, y yo percibía ese odio tan intensamente que no podía menos que odiarlo yo también. Y un día no pude más y me di vuelta, y lo enfrenté, y entonces él también se dio vuelta y salió disparando. Y entonces yo empecé a seguirlo y nos odiábamos intensamente, pero él nunca se dio vuelta ni me enfrentó.

PEDRO

Venia todas las tardes a la biblioteca, y se sentaba a estudiar matemáticas. Yo estudiaba historia, pero en realidad no estudiaba nada porque me pasaba mirándola de reojo y tratando de investigar si ella también me miraba de reojo, pero nunca coincidíamos en las investigaciones, así que pasamos todo un trimestre mirándonos si mirábamos. Hasta que una tarde Aurora...

CAPITÁN

...alias Beatriz...

Aunque el CAPITÁN *lo dijo mecánicamente, es co-*
mo si así se rompiera un sortilegio.

PEDRO

Está bien, usted lo sabe todo, capitán, pero eso no va a impedir que yo esté muerto. Y también sé algo más. Por ejemplo, que ustedes saben que ella no sabe, pero imaginan que yo sé.

CAPITÁN

Igual podemos traerla.

PEDRO

Razón de más para estar muerto. Cuanto antes mejor. Los muertos no somos chantajeables.

CAPITÁN *(después de una pausa larga)*

¿Por qué será que me caés bien a pesar de las sandeces que decís?

PEDRO

¿Será que le gustan las sandeces?

CAPITÁN

No, no es eso. Lo que pasa es que usted... *(Se interrumpe, sorprendido; da unas pasos en la habitación.)* ¿Usted? ¿Y ahora por qué, así de repente, dejé de tutearlo? *(Por primera vez* PEDRO *sonríe.)* No, no se ría. Sentí de pronto que debía tratarlo de usted. Nunca me había pasado eso.

PEDRO *(siempre sonriendo)*

No te preocupes. En compensación, yo voy a tutearte.

CAPITÁN *(asiente con la cabeza)*
Está bien. Me parece justo.

PEDRO *(casi gozoso)*
¿Arrancamos?

CAPITÁN
Claro.

PEDRO
Empezá vos.

CAPITÁN
No, empiece usted.

PEDRO
¿Ya te dije que estoy muerto? Ah, sí, te lo dije cuando aún no te tuteaba. Bien, pero antes de irme de este barrio, quisiera desentrañar algo que para mí es un misterio.

CAPITÁN
Ah. Y yo ¿qué tengo que ver?

PEDRO
Tenés que ver, cómo no. Quiero desentrañar el misterio de cómo un hombre puede, si no es un loco, si no es una bestia, convertirse en un torturador. *(Pausa.)* Fijate que estoy muerto, o sea, que no lo voy a contar a nadie. Es para mí nomás.

CAPITÁN *(hablando lentamente)*
Yo no soy eso.

PEDRO
¿Ah no?

CAPITÁN

Ya se lo expliqué.

PEDRO

Pero a mí no me importa tu explicación. Vos sabés que lo sos. *(Pausa.)* A ver, contame cómo sucedió eso. ¿Trauma infantil? ¿Convicción profunda? ¿Enajenación pasajera? ¿Preparación en Fort Gulick?

CAPITÁN *(encogiéndose de hombros)*

Bueno, soy anticomunista.

PEDRO

Sí, me lo imagino. Pero no alcanza como explicación. En el mundo hay millones de anticomunistas que no son torturadores. El Papa, por ejemplo.

CAPITÁN

No todos se realizan. *(Ríe, como si lo dicho fuera broma.)*

PEDRO

De acuerdo, no todos se realizan. Pero vos, ¿por qué te realizaste?

CAPITÁN

Es una historia larga y lenta. Ningún trauma infantil. No todo lo malo sucede en la vida debido a traumas de infancia. Más bien un pequeño cambio tras otro pequeño cambio. Ninguna convicción profunda. Más bien una pequeña tentación tras otra pequeña tentación. Económicas o ideológicas, poco importa. Y todo de a poquito. Es cierto que el último impulso me lo dieron en Fort Gulick. Allí me enseñaron con breves y soportables torturitas que sufrí en carne propia, dónde residen los puntos sensibles del cuerpo humano. Pero antes me enseñaron a torturar perros y gatos. Antes, antes, siempre hay un antes. Es algo paulatino. No crea que de pronto, como por arte de magia, uno se convierte de buen muchacho en monstruo insensible. Yo no soy un monstruo insensible, no lo soy todavía, pero, en cambio, ya no me acuerdo de cuándo era buen muchacho. *(Pausa.)* ¿Y por qué le cuento todas estas cosas? ¿Por qué hago de usted mi confidente?

PEDRO

Siempre es tarde cuando la dicha es mala.

CAPITÁN

Las primeras torturas son horribles, casi siempre vomitaba. Pero la madrugada en que uno deja de vomitar, ahí está perdido. Porque cuatro o cinco madrugadas después empieza a disfrutar. Usted no va a creerme…

PEDRO

Yo te creo todo, no te preocupes.

CAPITÁN

No, usted no va a creerme, pero una noche en que estábamos picaneando a una muchacha, no demasiado linda, picaneándola, ¿se da cuenta?

PEDRO

Claro que me doy cuenta.
Y ella gritaba enloquecida y se agitaba y se agitaba… *(Se detiene.)*

PEDRO

¿Y qué?

CAPITÁN

No va a creerme, pero de pronto me di cuenta de que yo tenía una erección. Nada menos que una erección, en esas circunstancias. ¿No le parece horrible?

PEDRO

Sí, me parece.

CAPITÁN

Y lo peor fue que al día siguiente, al acostarme con mi mujer, no podía... y empecé a ponerme nervioso... y no conseguía...

PEDRO

Pero al final lo lograste, ¿verdad?

CAPITÁN

Sí, ¿cómo lo sabe?

PEDRO

Siempre se logra.

CAPITÁN

Pero yo sólo lo conseguí cuando puse toda mi fuerza evocativa en la muchacha de la víspera, que no era demasiado linda. ¿No es espantoso? Sólo logré funcionar con mi mujer cuando me acordé de la muchacha que se retorcía porque la picaneábamos. ¿Cómo se llama eso? Debe tener una denominación científica.

PEDRO

El nombre es lo de menos.

CAPITÁN

Es por eso que no puedo volver atrás, es por eso que no puedo ceder. Es por eso que tengo que hacer que hable. Ya anduve demasiado trecho por este camino. ¿Comprende ahora? ¿Comprende por qué va a tener que hablar?

PEDRO

Comprendo que vos querés que yo comprenda.

CAPITÁN

Por eso tuve que tratarlo de usted. Porque sí lo seguía tuteando, no iba a poder.

PEDRO

¿Querés que te diga una cosa? De ninguna manera vas a poder, capitán. Ni tratándome de usted, ni de tú, ni de vos, ni de su señoría. ¿Ves? Esa es la ventaja que tiene el no. Siempre es no, y nada más que no, ¿Oíste bien, capitán? ¡No! ¿Oyó, capitán? ¡No! ¿Habéis oído, capitán? ¡No!

Cuarta parte

El mismo escenario.

Sobre el piso está PEDRO, *o por lo menos el cuerpo de* PEDRO, *inmóvil, con capucha. Al cabo de un rato empiezan a oírse quejidos muy débiles. Entra el* CAPITÁN, *sin chaqueta y sin corbata, sudoroso y despeinado.*

CAPITÁN
Ah, lo trajeron antes de tiempo. *(Toca el cuerpo con un pie.)* Pedro. (El *cuerpo no da señales de vida.)* Vamos, Pedro, tenemos que trabajar. *(Va hacia el lavabo, moja la toalla, la exprime un poco, se acerca al cuerpo tendido, se inclina sobre él, le quita la capucha, y queda evidentemente impresionado ante el calamitoso estado del rostro de* PEDRO. *Se sobrepone, sin embargo, y empieza a limpiarle las heridas de la cara con la toalla un poco húmeda. Lentamente,* PEDRO *empieza a moverse.)* Pedro.

PEDRO
¿Ah? *(Abre un ojo, pero parece no reconocer al* CAPITÁN.)

CAPITÁN
¿Qué pasa? ¿Se siente mejor?

PEDRO
  ¿Ah?

CAPITÁN
  Pedro, ¿me reconoce?

PEDRO *(balbuceando)*
  Desgracia... damente... sí.

> El CAPITÁN *ayuda a* PEDRO *a instalarse en la silla,*
> *pero el preso no puede sostenerse. Esta vez si lo*
> *han destruido. El* CAPITÁN *se quita su cinturón y*
> *con él sujeta a* PEDRO *al respaldo de la silla, a fin*
> *de que no se derrumbe.*
> *De a poco* PEDRO *se va reanimando, pero visible-*
> *mente está acabado. De todos modos, siempre*
> *habrá una contradicción entre la relativa vitali-*
> *dad que aún muestra su rostro y el derrengado as-*
> *pecto de su físico.*

PEDRO
  ¿Así que el capitán?

CAPITÁN
  Claro. ¡Cómo le dieron esta vez! ¡Lo reventaron, Pedro,
  qué barbaridad!

PEDRO
  Menos mal... que... ya estaba muerto.

CAPITÁN
  ¿No le parece que ha llegado el momento de aflojar? Ya
  se portó como un héroe. ¿Quién va a ser tan inhumano
  para reprocharle que ahora hable?

PEDRO *(no contesta. Luego de un silencio)*
Capitán, capitán.

CAPITÁN
¿Qué?

PEDRO
¿Vos nunca hablás a solas?

CAPITÁN
Puede ser. Alguna vez.

PEDRO
Yo sí hablo a solas.

CAPITÁN
¿ Y eso qué?

PEDRO
Hablo a solas porque hace tres meses que estoy incomunicado.

CAPITÁN
¿Cómo? Habla conmigo.

PEDRO
Esto no es hablar.

CAPITÁN
¿Y qué es?

PEDRO
Mierda, eso es. *(Pausa.)* Hablo a solas porque tengo miedo de olvidarme de cómo se habla.

CAPITÁN

Pero habla conmigo.

PEDRO

No me refiero a hablar con el enemigo. Me refiero a hablar con un compañero, con un hermano.

CAPITÁN

Ah.

PEDRO

Capitán, capitán.

CAPITÁN

¿Qué pasa ahora?

PEDRO

¿No sentís que a veces flotas en el aire?

CAPITÁN

Francamente, no.

PEDRO

Claro, no estás muerto.

CAPITÁN

Y usted tampoco, aunque esté haciendo notables méritos para estarlo.

PEDRO

Pues yo a veces floto. Y es lindo flotar. Entonces voy hasta la costa.

CAPITÁN

No va nada. Ni a la costa ni a ninguna parte. Está enterrado aquí.

PEDRO

Eso es. Eso es. Enterrado, claro, porque estoy muerto.
Pero cuando floto, voy a la costa. Es claro que no voy
todos los días. Hay veces que no tengo ganas de ir. Ayer
tuve ganas, y fui. Hace años, cuando iba a la costa, no
flotando, sino caminando, siempre veía parejitas de ena-
morados, pero ahora ya no están. Ahora están pelean-
do contra ustedes. Ahora están presos, o escondidos, o
en el exilio. *(Pausa larga.)* ¿Cómo se llama tu esposa, capitán?

CAPITÁN *(entre dientes)*

¿Qué le importa?

PEDRO

¿Ves? Te di la oportunidad de que me lo dijeras buena-
mente. Pero yo sé que se llama Inés.

CAPITÁN *(sorprendido)*

¿Y eso de dónde lo sacó?

PEDRO

Ya te dije que yo sé más de vos que vos de mí. Inés. Pero no te preocupes. También sé que no tiene alias. Salvo que vos la llamás Beba. Pero no es un nombre clandestino. Qué suerte, ¿verdad? Hoy en día no es bueno
tener nombre clandestino.

CAPITÁN

¿A dónde quiere llegar?

PEDRO

A mí muerte, capitán, a mi muerte.

CAPITÁN

¿Qué gana con no hablar? ¿Que lo revienten?

PEDRO

O que me dejen de reventar.

CAPITÁN

No se haga ilusiones. No lo van a dejar.

PEDRO

Si me muero, me dejan. Y me muero.

CAPITÁN

Pero es largo morirse así.

PEDRO

No tanto, si uno ayuda, si uno colabora.

CAPITÁN *(de pronto ilusionado)*

¿Está dispuesto a colaborar?

PEDRO *(pronunciando lentamente)*

Estoy dispuesto a ayudar a morirme. *(Pausa.)* También estoy dispuesto ayudar a que Inés te quiera.

CAPITÁN

No se preocupe de eso. Ella me quiere.

PEDRO

Sí, hasta hoy. Porque no sabe exactamente en que consiste tu trabajo.

CAPITÁN
Quizá se lo imagine.

PEDRO
No. No se lo imagina. Si lo imaginara, ya te habría dejado. Ella no es mala.

CAPITÁN *(como un autómata)*
No es mala.

PEDRO
Y también quiero ayudarte a que tus hijos (el casalito) no te odien.

CAPITÁN
Mis hijos no me odian.

PEDRO
Todavía no, claro. Pero ya te odiarán. ¿Acaso no van a la escuela?

CAPITÁN
Sólo el varón.

PEDRO
Pero la niña irá mis adelante. Y los compañeritos y compañeritas informarán a uno y a otra sobre quién sos. En la primera gresca que se arme, ya lo sabrán. Es lógico. Y a partir de esa revelación, empezarán a odiarte. Y nunca te perdonarán. Nunca los recuperarás. Nunca sabrás si… (No *puede seguir hablando. Se desmaya.*)

> *Al comienzo el* CAPITÁN *no se le acerca. Lo mira sin mirarlo, ensimismado. Luego se va hacia el lavabo, llena un vaso con agua, se enfrenta a* PE-

DRO *y le arroja el agua a la cara. De a poco* PE-
DRO *recupera el sentido.*

CAPITÁN

No se haga ilusiones. No se murió todavía. Seguimos aquí, frente a frente.

PEDRO *(recuperándose)*

Ah. sí, hablando de Inés y el casalito.

CAPITÁN

¡Basta de eso!

PEDRO

Capitán, ¿por qué no me matas?

CAPITÁN

¡Usted está loco! ¡Y quiere enloquecerme!

PEDRO

¿Por qué no me matás, capitán? Será en defensa propia, te lo prometo. Además, quise huir. La ley de la fuga, ¿te acordás? Coraje, capitán, tenés la oportunidad de hacer la buena acción de cada día.

CAPITÁN

Qué locuaz estás hoy.

PEDRO

Me desquito un poco después de tanta mudez. Además, vos sos el interlocutor ideal.

CAPITÁN

¿Yo?

PEDRO

Sí, porque tenés mala conciencia. Es muy estimulante saber que el enemigo tiene mala conciencia. Porque todo eso que dijiste de que vos no naciste verdugo) todo eso es cuento chino. Vos trabajaste de «malo» y bastante tiempo, en un pasado no tan lejano. Te conocemos, capitán. O sea, que tienen que hacer más espesas las capuchas. Siempre hay alguien que ve a alguien. Y yo, por ejemplo, no me limito a conocer el nombre de tu mujer. También sé el tuyo. Y hasta tu alias.

CAPITÁN

Está loco. ¡Yo no tengo alias!

PEDRO

Sí que tenés. Sólo que tu alias no es un nombre, sino un grado. Tu alias es el grado de capitán. Y vos sos coronel. Sos coronel, capitán. Así que una de dos: o nos tratamos de Rómulo a Capitán, o nos tratamos de Coronel a Pedro. ¿Qué te parece, capitán? ¿Eh, Coronel?

CAPITÁN (que acusa el golpe)

¿Sabe una cosa? Usted es más cruel que yo.

PEDRO

¿Por qué? ¿Porque te aplico el mismo tratamiento? No es para tanto. Además, vos tenés todavía el poder, la picana, la pileta con mierda, el plantón. Yo no tengo nada. Salvo mi negativa.

CAPITÁN

¿Le parece poco?

PEDRO

No, no me parece poco. Pero con mi negativa…

CAPITÁN

...fanática...

PEDRO

Eso es, con mi negativa fanática, desaparezco, te dejo el campo libre. Mejor dicho, el camposanto libre.

> *El* CAPITÁN *está como vencido. También* PEDRO *está terriblemente fatigado. Por fin el* CAPITÁN *levanta la mirada. Habla como transfigurado.*

CAPITÁN

No, Pedro, usted no es cruel. Le pido excusas. Y ya que no es cruel, va a comprender. Usted dice que quiere que yo salve el amor de mi mujer y de mis hijos...

> *Sin atender a lo que dice el* CAPITÁN, PEDRO *comienza a hablar, y lo hace sin mayor conciencia del contorno.*

PEDRO

¿De veras nunca hablaste a solas, capitán? Ahora estoy aquí, contigo. Pero igual voy a hablar a solas. De paso aprendés cómo se habla en tales condiciones. Tomá nota, capitán. Este es un ensayo de cómo se habla a solas. *(Pausa.)* Mira, Aurora...

CAPITÁN

...alias Beatriz...

PEDRO *(como si no escuchara la acotación del* CAPITÁN*)* Mira, Aurora, estoy jodido. Y sé que vos, estés donde estés, también estás jodida. Pero yo estoy muerto y vos, en cambio, estás viva. Aguanto todo, todo, todo menos una cosa: no tener tu mano. Es lo que más extraño: tu mano suave, larga, tus dedos finos y sensibles. Creo que es lo único que todavía me vincula a la vida. Si antes de irme del todo, me concedieran una sola merced, pediría eso: tener tu mano durante tres, cinco, ocho minutos. Lo pasamos bien, Aurora...

CAPITÁN *(Con la garganta apretada)*
...ALIAS BEATRIZ...

PEDRO
...vos y yo. Vos y yo sabemos lo que significa confiar en el otro. Por eso habría querido tener tu mano: porque sería la única forma de decirte que confío en vos, sería la única forma de saber que confías en mí. Y también de demorarme un rato en confianzas pasadas. ¿Te acordás de aquella noche de marzo, hace cuatro años, en la playita cercana a lo de tus viejos? ¿Te acordás que nos quedamos como dos horas, tendidos en la arena, sin hablar, mirando la vía láctea, como quien mira un techo interior? Recuerdo que de pronto empecé a mover mi mano sobre la arena hacia vos, sin mirarte, y de pronto me encontré con que tu mano venía hacia mí. Y a mitad de camino se encontraron. Fijate que éste es el recuerdo que rememoro más. También tu cuerpo, tu piel, también tu boca. ¿Cómo no recordar todo eso? Pero aquella noche en la playa es la imagen que rememoro más. Aurora...

CAPITÁN *(sollozando)*
...alias Beatriz...

PEDRO
... a Andrés decíselo de a poco. No lo hieras brutalmente con la noticia. Eso marca cualquier infancia. Explícaselo de a poco y desde el principio. Sólo cuando estés

segura de que entendió un capítulo, sólo entonces empezale a contar el otro. Tal como hacés cuando le contás cuentos. Paulatinamente, sin herirlo, hacele comprender que esto no fue un estallido emocional, ni una corazonada, ni una bronca repentina, sino una decisión madurada, un proceso. Explícaselo bien, con las palabras tiernas y exactas que constituyen tu mejor estilo. Decile que no tiene por qué aceptarlo todo, pero que tiene la obligación de comprenderlo. Sé que dejarlo ahora sin padre es como una agresión que cometo contra él, o por lo menos así puede llegar a sentirlo, no sé si hoy, pero acaso algún día o en algún insomnio. Confío en tu notable poder de persuasión para que lo convenzas de que con mi muerte no lo agredo, sino que, a mi modo, trato de salvarlo. Pude haber salvado mi vida si delataba, y no delaté, pero si delataba entonces sí que iba a destruirlo. Hoy a lo mejor se habría puesto contento de que papi volviera a casa, pero nueve o diez años después se estaría dando la cabeza contra las paredes. Decile, cuando pueda entenderlo, que lo quiero enormemente, y que mi único mensaje es que no traicione. ¿Se lo vas a decir? Pero, eso sí, ensáyalo antes varias veces, así no llorás cuando se lo digas. Si llorás, pierde fuerza lo que decís. ¿Estás de acuerdo, verdad? Alguna vez vos y yo hablamos de estas cosas, cuando la victoria parecía verosímil y cercana. Ahora sigue pareciendo verosímil, pero se ha alejado. Yo no la veré y es una lástima. Pero vos y Andrés sí la verán y es una suerte. Ahora dame la mano. Chau, Aurora…

CAPITÁN *(llorando, histérico)*
¡Alias Beatriz!

> *Se hace un largo silencio.*
> PEDRO, *después del esfuerzo, ha quedado anona-*

dado. Tal vez ha perdido nuevamente el sentido.
Su cuerpo se inclina hacía un costado; no cae, só-
lo porque el cinturón lo sujeta a la silla. El Capitán, *por su parte, también está deshecho, pero su*
deterioro tiene, por supuesto, otro signo y eso de-
be notarse. Tiene la cabeza entre las manos y
por un rato se le oye gemir. Luego, de a poco se
va recomponiendo, y aunque Pedro *está aparen-*
temente inconsciente, comienza a hablarle.

Capitán

Pedro, usted está muerto y yo también. De distintas
muertes, claro. La mía es una muerte por trampa, por
emboscada. Caí en la emboscada y ya no hay posible re-
troceso. Estoy entrampado. Si yo le dijera que no puedo abandonar esto, usted me diría que es natural, porque sería abandonar el confort, los dos autos, etcétera.
Y no es así. Todo eso lo dejaría sin remordimientos. Sí
no lo dejo es porque tengo miedo. Pueden hacer conmigo lo mismo que hacen, que hacemos con usted. Y usted seguramente me diría: «Bueno, ya ves, puede aguan-
tarse.» Usted sí puede aguantarlo, porque tiene en qué
creer, tiene a qué asirse. Yo no. Pero dentro de mi impo-
sibilidad de rescatarme, me queda una solución inter-
media. Ya sé que Inés y los chicos pueden un día llegar
a odiarme, si se enteran con lujo de detalles de lo que
hice y de lo que hago. Pero si todo esto lo hago, además,
sin conseguir nada, como ha sido en su caso hasta ahora, no tengo justificación posible. Si usted muere sin
nombrar un solo dato, para mí es la derrota total, la vergüenza total. Si en cambio dice algo, habrá también algo que me justifique. Ya mi crueldad no será gratuita,
puesto que cumple su objetivo. Es sólo eso lo que le pido, lo que le suplico. Ya no cuatro nombres y apellidos,
sino tan sólo uno. Y puede elegir: Gabriel o Rosario o

Magdalena o Fermín. Uno solito, el que menos represente para usted; aquel al que usted le tenga menos afecto; incluso el que sea menos importante. No sé si me entiende: aquí no le estoy pidiendo una información para salvar al régimen, sino un dato para salvarme yo, o mejor dicho para salvar un poco de mí. Le estoy pidiendo la mediocre justificación de la eficacia, para no quedar ante Inés y los chicos como un sádico inútil, sino por lo menos como un sabueso eficaz, como un profesional reditable. De lo contrario, lo pierdo todo. *(El* Capitán *da unos pasos hacia* Pedro *y cae de rodillas ante él.)* Pedro, nos queda poco tiempo, muy poco tiempo. A usted y a mí. Pero usted se va y yo me quedo. Pedro, éste es un ruego de un hombre deshecho. Usted no es inhumano. Usted es un hombre sensible. Usted es capaz de querer a la gente, de sufrir por la gente, de morir por la gente. Pedro, se lo ruego: diga un nombre y un apellido, nada más que un nombre y un apellido. A esto se ha reducido toda mi exigencia. Igual el triunfo será suyo.

> Pedro *se mueve un poco. Trata de enderezarse, pero no puede. Hace otra esfuerzo y al fin se yergue. El* Capitán *apela a un recurso desesperado.*

Capitán
Se lo pido a Rómulo. Se lo ruego a Rómulo. ¡Me arrodillo ante Rómulo! Rómulo, ¿va a decirme un nombre y un apellido? ¿Va a decirme solamente eso?

Pedro *(a duras penas)*
No..., capitán.

Capitán
Entonces se lo pido a Pedro, se lo ruego a Pedro. ¡Me arrodillo ante Pedro! Apelo no al nombre clandestino,

sino al hombre. De rodillas se lo suplico al verdadero Pedro.

PEDRO *(abre bien los ojos, casi agonizante)*
    ¡No…, coronel!

> *Las luces iluminan el rostro de* PEDRO. *El* CAPITÁN, *de rodillas, queda en la sombra.*

ACTIVIDADES DE COMPRENSIÓN
Y ANÁLISIS DEL TEXTO

1) ACTIVIDADES DE PRELECTURA

❏ **Identifiquemos los paratextos: Tapa, contratapa, índice, prólogo.**

• Describan la tapa y la contratapa

....
....
....
....

• ¿Qué información les proporcionan? Ambas apelan a códigos distintos. ¿Cuáles son? Analicen el mensaje que transmite cada una y, dado que establecen una situación comunicativa también diferente, expliquen cómo operan sus componentes (referente, canal, emisor, receptor).

....
....
....
....
....

• Elaboren una pequeña historia a partir de la relación entre el título y la ilustración de la tapa.

....
....
....
....
....

• ¿Conocían ya a Mario Benedetti? ¿Qué textos suyos han leído?

....
....
....
....

• Como se trata de teatro, es posible que más que leer una obra, hayan asistido al espectáculo; de todos modos, ¿habían leído antes una obra de teatro?, ¿cuál? ¿Qué les pareció?

....
....
....
....

• ¿Habrá diferencias importantes entre leer un cuento y una obra de teatro? ¿Cuáles? Fundamenten.

....
....
....
....

• Repasemos el índice. Da cuenta de un prólogo y cuatro partes. Excepto el prólogo, común a varios tipos de textos, ¿es propia del texto dramático la división en "partes"? Expliquen.

....
....
....
....

• ¿Qué razones habrá tenido su autor para preferir esta modalidad?

....
....
....

• ¿Cómo imaginan a los personajes del título? Descríbanlos.

....
....
....
....

• El prólogo es un texto breve que antecede al cuerpo del texto central, cuya finalidad es aclarar o ampliar el contenido de lo que sigue. Generalmente, es otra persona distinta del autor o autora quien lo escribe. Sin embargo, en la obra que nos ocupa, es el propio Mario Benedetti quien prologa. ¿Qué forma textual y qué título tuvo inicialmente *Pedro y el Capitán*? ¿Habrá ganado con el cambio? Comenten.

....

....

....

....

• ¿Creen que nos ayuda, como lectores, contar con la opinión del escritor sobre su propio texto? ¿O nos condiciona, de antemano, a pensar lo mismo que él?

....

....

....

....

• Repasemos cómo está estructurada una obra de teatro clásica, para luego reconocer la forma de *Pedro y el Capitán*. Completen:

✓ Internamente, y según la evolución de la acción dramática, el texto teatral suele estar dividido en - - - - - - - - - - - - - -. La - - - - - - - - - - - - - - - - - - - salida de actores indica el cambio de - - - - - - - - - - - - - - - - -. Finalmente, si se introducen modificaciones en la escenografía dentro de un mismo acto, estamos en presencia de otro - - - - - - - - - - - - - - -.

✓ Las didascalias o -, son esa parte del texto dramático destinado a la puesta en escena. Si bien las leemos todos, reparan especialmente en ella: - , - y -. En la obra que nos ocupa, solo encontraremos cuatro partes (que equivaldrían a los conocidos actos) y las acotaciones escénicas.

• Marquen con una cruz: ¿cuáles de estos participantes de la puesta en escena creen que habrán hecho su mayor aporte en las representaciones de la obra de Benedetti? Fundamenten la elección.

Vestuarista........ Escenógrafo........ Actores........ Musicalizador

....

....

....

....

II. ANÁLISIS Y LECTURA COMPRENSIVA

<u>**PRIMERA PARTE**</u>

❏ **Respondan:**

• ¿Por qué el autor aconseja que, no obstante la ventana alta con rejas, el lugar "no debe dar, sin embargo, la impresión de una celda?"

....

....

....

....

• ¿Qué quiere decir cuando afirma que Pedro es "empujado por presuntos guardianes o soldados"?

....

....

....

....

• ¿Qué referencias tienen de un lugar (que no es una celda), en el que encierran a alguien (no es un preso), para luego "apremiarlo" físicamente (decir que se lo ha torturado), y que queda "en manos" de un uniformado (que será otra forma de tortura, sólo que psicológica)?

....

....

....

....

• ¿Cuál es el conflicto que plantea la obra ?

....

....

....

....

• Si bien contamos únicamente con el discurso del capitán, ¿hacen falta las respuestas de Pedro para saber cómo se plantea la acción dramática?

....

....

• ¿Tenemos, en esta *Primera Parte,* una idea acabada de quién es y qué quiere cada uno?

....

....

....

• Marquen con una cruz:

✓ Con respecto a Pedro, el capitán se siente en un plano de:

Superioridad.......... Igualdad.......... Inferioridad............

• ¿Por qué?

....

....

....

....

• Y Pedro, ¿cómo se muestra ante el capitán? Fundamenten.

Desconfiado.......... Sumiso.......... Complaciente..........

Reservado.......... Rebelde.......... Agresivo..........

....

....

....

....

• Por el discurso del militar, podemos inferir quién es Pedro: un militante de una organización clandestina de izquierda. Entre las expresiones del capitán que lo ilustran está, por ejemplo, *"se propusieron crear una sociedad sin propiedad privada"*. Busquen otras alusiones que lo definan ideológicamente y luego transcríbanlas.

....

....

....

....

....

....

• En su monólogo, el capitán menciona a Gandhi y su resistencia pasiva. ¿Por qué agrega: *"Pero una cosa eran los hindúes contra los ingleses y otra muy distinta son ustedes contra nosotros"*?

....

....

....

....

• El mismo capitán habla de una "guerra" que, sin embargo, parece resolverse en un sitio de torturas. ¿A qué se refiere?

....

....

....

....

• En su discurso remarca dos pronombres personales: "ustedes" y "nosotros". ¿A quiénes alude cuando especifica "nosotros como institución"?

....

....

....

• El capitán "trata de comprender" la actividad de Pedro, y asegura: *"llevabas una vida relativamente normal. Digo nor-*

mal, considerando lo que son estos tiempos". ¿Qué actitud de Pedro juzga? Elijan una de las tres opciones y fundamenten:

a) Que, por tratarse de una época convulsionada y violenta, Pedro haya pensado que debía tomar las armas para defenderse.

b) Que, no obstante su posición social y económica sólida, un grupo político lo tentara para colaborar con la lucha armada.

c) Que se identificara con una ideología solidaria, y aunque su vida fuese digna, militara para recuperar los derechos de quienes los habían perdido.

....
....
....
....

• Amplíen el concepto del capitán sobre Pedro y sus compañeros. Expliquen esta frase en el marco de un enfrentamiento absoluto de ideas:

"Nosotros no podemos dejar de apreciar en ustedes la pasión con que se entregan a una causa, cómo lo arriesgan todo por ella: desde el confort hasta la familia, desde el trabajo hasta la vida."

....
....
....
....

• En la misma línea, expresen su propia conclusión sobre lo que afirma el capitán: "Yo, en cambio, nunca pierdo de vista que el detenido es un ser humano como yo. ¡Equivocado, pero ser humano!".

....
....

....

....

❑ **En su larga perorata, el militar quiere mostrarse comprensivo, pero no puede ocultar su cinismo. Respondan:**

• ¿Por qué recuerda precisamente a su padre, que era rematador?

....

....

....

....

....

• ¿Es creíble cuando afirma que él es el "descanso" o "respiro" de los detenidos? ¿Por qué?

....

....

....

....

....

• ¿Y cuando asegura que Pedro le "cayó tan bien"? Fundamenten.

....

....

....

....

....

• El texto ha necesitado incorporar vocablos que ustedes no encontrarán en el diccionario. Por ejemplo, "plantón" o "submarino", que refieren distintos modos de tortura física. Sin embargo, hay otros, que pertenecen a un habla regional fácilmente identificable. Subrayen, busquen en el diccionario los que desconozcan (para algunos necesitarán un Diccionario de Lunfardo) y luego comenten el porqué del uso de estos términos: *clande, botija, yankis, crisma, bicoca, razzia, berretín, amasijar*.

....
....
....
....
....

• ¿Qué significa, en la jerga del capitán, "argumentar", "muchachos electrónicos" y "faenas limpias"?

....
....
....
....

• El militar usa eufemismos, es decir, vocablos que disfrazan su verdadera intención o atenúan la dureza de lo que representan. ¿Qué quiere significar cuando dice:

– Que Pedro debe "colaborar"?...
....
– Que su trabajo es "ablandarlos"?...
....
– Que ellos son "pragmáticos"?..
....

• Busquen otros términos o expresiones similares y expliquen las razones de su uso.

....
....
....
....
....

SEGUNDA PARTE

❑ **Respondan:**

• ¿Hay nuevos elementos en las acotaciones escénicas, respecto de la primera parte? ¿Por qué?

....

....

....

....

• ¿Cómo interpretan la pose del capitán?

....

....

....

....

• ¿Sería tan inestable la relación entre dominadores y dominados para que el capitán afirme: *"¿Quién te dice que algún día esta situación se invierta y seas vos quien me interrogue?"*. Contextualicen con sus propios datos sobre la realidad histórica a la que alude.

....

....

....

....

....

• ¿Por qué se sorprende ante la frase de Pedro?:

"Quiero aclararle que el hecho de que Ud. no participe directamente en mi tortura, no garantiza que no lo odie, ni siquiera que lo odie menos."

....

....

....

• ¿Esperaba el capitán esa reacción de Pedro?

....

....

• ¿A qué se refiere con: "¿No te das cuenta de que otros ponen las ideas y vos ponés la cara?".

....

....

....

....

• ¿Y con la expresión del capitán: *"O los destruimos o nos destruyen. Vida o muerte"*?

....

....

....

....

• Interpreten el sentido de las siguientes palabras o expresiones, en boca de Pedro y en boca del capitán: *Buenos - malos - poner la otra mejilla - dignidad - nobleza.*

....

....

....

....

....

....

• ¿Qué sentido le da Pedro a estas palabras: *"hay un mínimo de dignidad al que no estoy dispuesto a renunciar".*

....

....

....

....

- ¿Y a esta preferencia: *"morir como un vivo"* antes que *"vivir como un muerto"*?

....

....

....

....

- Expliquen la frase del capitán: *"mostrar odio, genera odio"*.

....

....

....

....

- ¿Qué significado le darían a este principio, que integra el ideario de Pedro y de sus compañeros: *"Lo esencial no es el defecto individual sino la voluntad colectiva"*?

....

....

....

....

- Describan el cambio que se opera en la tensión dramática y en el capitán a partir de su expresión *"no acostumbro a poner la otra mejilla"*.

....

....

....

....

- Caractericen el avance de Pedro sobre el capitán. ¿Creen que Pedro tiene una estrategia y un objetivo? ¿Cuáles son?

....

....

....

....

• La relación dialogal se establece entre un "vos" y un "usted".
¿Quién utiliza cada forma para su interlocutor y por qué?

....
....
....
....

• Observen el comportamiento quizás inesperado del capitán. Comenten y escriban sus conclusiones:

....
....
....
....

• ¿Qué aspectos comienzan a acentuarse más? Transcriban ejemplos de su expresión verbal y gestual.

....
....
....
....
....
....

• ¿Qué revelan estos cambios? Relaciónenlos con la siguiente frase de Pedro: *"En su afán por extraerme lo que sé y lo que no sé, usted no advierte que se va mostrando tal cual es".*

....
....
....
....

• ¿A quiénes incorpora el capitán en su discurso? ¿Sorprende con esa faceta?

....
....

....
....
....

• ¿Es verosímil que este sujeto tenga los *"nervios destroza-dos"* y sus *"manos tiemblen"*?
....
....
....
....

• ¿Y que se sienta entrampado?
....
....

• ¿Podría negarse a concretar su trabajo? ¿Tendría que eva-luar sus consecuencias? ¿Cuáles serían?
....
....
....
....

• El capitán realiza diferentes actos de habla suscitados por la negativa de Pedro. Transcriban oraciones que se corres-pondan con:

– *ordenar:* ....
....

– *insultar:* ....
....

– *provocar:* ....
....

– *persuadir:* ....
....

• Expliquen la finalidad del capitán en cada uno de los casos.

....
....
....
....
....

• Del mismo modo, procedan con los actos de habla de Pedro.

....
....
....
....
....

• Elaboren un cuadro comparativo con las posibles "ventajas" y "desventajas" de "vivir como un muerto" y "morir como un vivo"

"vivir como un muerto"	"morir como un vivo"
....	....
....	....
....	....
....	....
....	....

• Subrayen y definan las palabras o expresiones que son utilizadas en tono eufemístico (tal cual señalamos en la *Primera Parte*)

....
....
....
....
....

TERCERA PARTE

• Observen las acotaciones escénicas que inician esta Tercera Parte.

❏ **Respondan:**
• ¿Qué están indicando esas modificaciones en el personaje del capitán?

....
....
....
....

• ¿Están necesariamente relacionadas con Pedro? Expliquen.

....
....
....
....

• Por el tono de sus expresiones *("¡Tráiganlo!", "¿De qué te ríes, estúpido?")*, el capitán parece haber perdido la paciencia. ¿Cuáles serán los motivos ?

....
....
....
....

• En la indicación referida al estado de Pedro, el autor prefiere que se mantenga la ambigüedad entre "alguien que delira" y "alguien que simula estar delirando". ¿Por qué?

....
....
....
....

• Si fuese simulación, ¿qué busca con ella Pedro?

....

....

....

....

....

• Si estuviese efectivamente delirando, ¿obtendría alguna ventaja?

....

....

....

....

• ¿Por qué Pedro inicia esa "sesión de ayuda" (como la llama el capitán) con un monólogo sobre los "muchachos eléctricos"?

....

....

....

....

....

• ¿Habrá sucedido efectivamente lo que narra?

....

....

....

....

• Si no fuera así, ¿por qué razón estaría inventando?

....

....

....

....

• Interpreten la frase de Pedro al capitán: *"Muy bien, capitán, excelente: se dio cuenta de la contradicción. Se está entrenando para la dialéctica, ¿eh?".*

....

....

....

....

• ¿Por qué Pedro quiere que el capitán lo considere "técnicamente muerto"?

....

....

....

• En su rememoración, Pedro habla del mar-río. ¿A qué se refiere?

....

....

....

• ¿Por qué prefiere llamarlo mar?

....

....

....

• ¿Por qué todos usaban el "alias"?

....

....

....

• ¿Qué mecanismos pone en marcha el capitán cuando a cada nombre dicho por Pedro, le agrega el "alias"?

....

....

....

• ¿Qué cambia el nuevo trato que se dan, con el "usted" y el "vos" invertidos?

....

....

....

• ¿Cuál será el propósito que guía a Pedro al involucrar al capitán en su recuerdo nostálgico?

....

....

....

• ¿Qué es, de todo lo que Pedro dice, lo que más molesta al Capitán?

....

....

....

• ¿Es sincero el capitán cuando asegura que él está tan muerto como Pedro? Comenten.

....

....

....

....

• ¿Qué evocación le provocan a Pedro las palabras *mar, río, vagabundo, orilla*?

....

....

....

....

• ¿Cómo interpretarían los recuerdos del capitán?

....

....

....
....

❑ **Discutan y escriban sus conclusiones:**

• ¿Es legítimo que Pedro ponga en riesgo su vida por objetivos políticos?

....
....
....
....

• ¿Qué sentimientos les ha despertado el capitán? ¿Ha sido el mismo durante toda la obra?

....
....
....
....

• ¿Es la familia el único punto débil del capitán?

....
....

• ¿Podríamos concluir que, a su manera, al finalizar la Tercera Parte Pedro triunfa sobre el capitán?

....
....

Cuarta parte

• Marquen con una cruz. A partir de la acotación que inicia esta parte, el comportamiento del capitán denota:

.... *Culpabilidad* .... *Temor* .... *Solidaridad*

.... *Conveniencia* .... *Asombro* .... *Indignación*

- ¿Por qué?

....

....

....

....

- El autor seguirá señalando (como en la *Primera Parte*) la contradicción entre un cuerpo destruido y un rostro vital que sostendrá "alerta" el habla. ¿Podemos pensar que Pedro ha maquinado una estrategia, sobre todo en este momento, en el que ya conoce las reacciones del capitán? Elijan una de las tres opciones y expliquen:

a) Pedro finge mayor gravedad para conmover al capitán.

b) Ya no da más pero saca fuerzas de donde no tiene para jugarse, a través de su discurso, la última carta de su salvación.

c) Sabe que su suerte está echada, pero quiere mostrarse vital para hacerles ver a sus enemigos que el coraje es lo último que va a perder.

....

....

....

....

- ¿Qué cambios ha experimentado la relación entre Pedro y el capitán respecto de las tres partes anteriores?

....

....

....

....

- Interpreten el paralelismo de expresión que conduce a la misma figura respecto del contenido, en la frase de Pedro: *"Estoy dispuesto a ayudar a morirme. También estoy dispuesto a ayudar a que Inés te quiera"*

....
....
....
....

• ¿Qué significado le otorgan al pedido de excusas del capitán por haberle dicho que era "cruel"?

....
....
....
....

• ¿Qué argumentos tendría el capitán para calificar la negativa de Pedro como "fanática"?

....
....
....
....

• ¿Por qué ese diálogo imaginario que sostiene Pedro con su mujer, Aurora, le provoca al capitán un llanto histérico?

....
....
....
....

• Escriban las razones que ha tenido el capitán –suponiendo una situación inversa en la que él sería el torturado– para asegurar: *"Usted sí puede aguantarla, porque tiene en qué creer, tiene a qué asirse. Yo no"*.

....
....
....
....

• Seguramente, los nombres de Pedro y Aurora obedecen a alguna razón que, como lectores, podemos explicitar. Escriban la interpretación que puedan darles a partir de su etimología.

....
....
....
....

• Aunque Pedro se lo proponga, el capitán no aceptará abandonar el "alias" por su grado verdadero, coronel. Sin embargo, el trato desprovisto de máscaras, sobreviene en el final. ¿Qué piensan de esta última escena? ¿La esperaban? ¿Creen que el desenmascaramiento indica un final favorable para Pedro?

....
....
....
....

• Expliquen lo que Pedro le sugiere a Aurora que debe contarle a su hijo, Andrés, cuando ya esté muerto:

> *"Decíle que no tiene por qué aceptarlo, pero que tiene la obligación de comprenderlo". "(...) que con mi muerte no lo agredo, sino que, a mi modo, trato de salvarlo".*

....
....
....
....

• ¿Qué les connota "la muerte" a Pedro y al capitán? ¿Qué ideas se oponen a partir de ambas concepciones?

....
....
....

....

....

• ¿Es creíble el capitán cuando implora diciendo: *"Le estoy pidiendo la mediocre justificación de la eficacia, para no quedar ante Inés y los chicos como un sádico inútil, sino como un profesional redituable"?* ¿Es esto muy diferente de la denominación de "verdugo" que rechazó al comienzo?

....

....

....

....

• Escriban su opinión sobre la inversión por la cual el torturador pasa a ser suplicante y es quien reconoce frente a su torturado: *"Igual el triunfo será tuyo"*.

....

....

....

....

• ¿Cómo calificarían la siguiente aseveración del capitán: *"Si Ud. muere sin nombrar un solo dato, para mí es la derrota total, la vergüenza total"?* Luego, justifiquen.

a) Como la verdad del verdugo profesional que teme a sus superiores.

b) Como la verdad de un hombre acorralado por su mala conciencia.

c) Como la verdad de un esposo y padre de familia que necesita que su torturado confiese para "justificar" el sentido de su "trabajo".

....

....

....

....

....

....

....

• En el final, Pedro es alumbrado y el Capitán queda en la sombra. ¿Qué indica este juego de luces?

....

....

....

....

• Considerando las cuatro partes de la obra, transcriban las expresiones que mejor caractericen a Pedro y al capitán.

....

....

....

....

• Elijan uno de los actos y formen el campo semántico de "vida" y de "muerte". Luego, observen cuál de los dos personajes acumula más expresiones referidas a uno y otro término. Comenten el resultado.

....

....

....

....

III) TALLER DE ESCRITURA

1. Para resolver individualmente
(Trabajen en hoja aparte)

• Busquémosle una **dedicatoria** a esta obra teatral:

✓ ¿A quién se la dedicarían? ¿Por qué? Escríbanla.

• Busquémosle también un **epígrafe.**

✓ ¿Qué texto podría cumplir con dicha función? ¿Prefieren un epígrafe general o uno diferente para cada uno de las cuatro partes? Para la elección del o los epígrafe/s les sugerimos: busquen la letra de una canción, de un poema o de algún otro texto y seleccionen el o los versos que les parezcan representativos del contenido de *Pedro y el Capitán.* Observación: no olviden indicar la cita bibliográfica, es decir, la fuente de donde los extrajeron.

• Rediseñen la **tapa** y la **contratapa** del libro:

✓ En la tapa: ¿Qué otro título se les ocurre? ¿Por qué? ¿Cambiarían la ilustración? ¿Por cuál? Confeccionen otro diseño de la tapa en hoja aparte.

✓ En la contratapa: ¿Qué cambios realizarían? Escriban, además, un breve texto que exprese por qué sería aconsejable la lectura de *Pedro y el Capitán.*

• Imaginen el **programa** que acompañaría la representación de la obra en una sala teatral (pueden pensarlo como un tríptico): ¿Qué ilustración elegirían para la portada? ¿Qué comentario acompañaría al "reparto" y los datos de los técnicos que hacen la puesta en escena? ¿Les gustaría elegir el nombre de los actores para esos dos roles? Separen, además, algún fragmento de la obra que les parezca una síntesis muy significativa de la acción y que pudiera ubicarse en la portada del programa.

• Elaboren una **reseña literaria** de la obra, es decir, un comentario sobre el contenido, teniendo en cuenta que podría aparecer en la cartelera de la escuela o del aula, luego de una votación general, en la que elegirían la más completa y mejor redactada.

• Escriban un **informe** breve. Para eso, procedan así: primero, reflexionen sobre lo que ustedes consideran el tema central de la obra. Después, propónganse desarrollarlo independientemente del texto teatral; así, pueden optar por temas como la violencia, la represión, el autoritarismo, etc. Reúnan material que les sirva de apoyo. Luego, redacten el informe con la estructura de un texto argumentativo, de modo que cuente con sus componentes esenciales: puntos de partida, hechos, marco, hipótesis, justificación, conclusión.

• Anoten al azar palabras sueltas que recuerden de la lectura. Elijan una de ellas y confeccionen un **crucigrama.** Luego, intercambien los crucigramas con los compañeros e intenten descifrarlos. Observación: procuren que las referencias sean lo suficientemente complejas como para crear dificultades en su resolución.

• A partir de la siguiente frase elaboren un texto persuasivo, en el que alguien refute la premisa de "Mitrione" y convenza al receptor de la brutalidad incalificable de su contenido: *"Dolor preciso, en el lugar preciso, en la proporción precisa elegida al efecto".*

• Investiguen sobre lo sucedido en las sociedades argentina y uruguaya de los años setenta, período en el que ambas sufrieron el efecto más devastador de las respectivas dictaduras militares. Luego, escriban una **síntesis histórica** con una descripción de lo sucedido cada año. (Tanto en Uruguay como en la Argentina, los gobiernos de facto se extendieron desde la década del 70 hasta comienzos de la década del 80.)

• Averigüen a qué se llamó "servicio de inteligencia". ¿Qué expresiones de la obra dan cuenta de la existencia de un organismo con esa función? Elaboren un **texto informativo** en el que describan su conformación y los objetivos que lo guían.

• Pedro imagina decirle a Aurora, en el final de la obra:

> *"La victoria parecía verosímil y cercana. Ahora sigue pareciendo verosímil, pero se ha alejado. Yo no la veré y es una lástima. Pero vos y Andrés sí la verán y es una suerte".*

Busquen fotografías o ilustraciones en revistas y diarios, las que ustedes prefieran (no sólo descriptivas, pueden ser imágenes denotativas y también connotativas), y luego confeccionen un **afiche** que contenga las dos visiones de Pedro. Propongan armar una exposición con todos los trabajos.

• Imaginen cómo le contaría Aurora la historia de Pedro al hijo de ambos, Andrés. Elijan la forma: puede ser una carta o como un cuento pensado para un chico de ocho o nueve años.

• Elaboren un texto en el que Andrés adolescente relata la historia de su padre.

• En la *Tercera Parte*, Pedro dice: *"Siempre es tarde cuando la dicha es mala",* cambiando así el refrán tradicional: "Nunca es tarde cuando la dicha es buena". Escriban un **texto explicativo** que amplíe el significado de estas dos posibilidades y dé cuenta de la verdad que encierran.

2. PARA TRABAJAR EN GRUPOS

• Elijan las diez mejores palabras de la obra de teatro, aquellas que más les gusten. Mézclenlas y luego confeccionen un **poema,** sin dejar ninguna de lado.

• Elaboren dos textos que podrían convertirse después en **artículos de divulgación,** ambos con lo que ustedes interpretaron de las posturas políticas de Pedro y el capitán. Si los ayuda, deleguen en dos compañeros esos dos roles, para que confronten verbalmente lo que después el grupo transcribirá.

• Imaginen una escena en la que Pedro y el capitán se encuentran después de todo lo vivido. Están solos, y parecen dos personas comunes y corrientes. Nadie puede escucharlos y pueden tratarse como ustedes quieran. Escriban el **diálogo** y luego represéntenlo.

• Divídanse en grupos y jueguen a ser musicalizadores de la representación de *Pedro y el Capitán.* Formen una lista de canciones que crean acorde con la obra. Luego, voten las más apropiadas. Concluyan la actividad realizando una puesta en común.

• Lean el siguiente poema de Mario Benedetti:

TORTURADOR Y ESPEJO

Mirate
así

qué cangrejo monstruoso atenazó tu infancia
qué paliza paterna te generó cobarde
qué tristes sumisiones te hicieron despiadado

no escapes a tus ojos
mirate
así

dónde están las walkirias que no pudiste
la primera marmita de tus sañas

te metiste en crueldades de once varas
y ahora el odio te sigue como un buitre

no escapes a tus ojos
mirate
así

aunque nadie te mate
sos cadáver

aunque nadie te pudra
estás podrido

dios te ampare
o mejor
dios te reviente.

• Imaginen una escena en la que Pedro le dijera al capitán algunas de las expresiones de este poema. Y que el capitán le respondiera en el mismo lenguaje, defendiéndose y atribuyendo su cruel oficio al desprecio con que lo trataron desde chico. Escríbanla.

• Piensen en un texto (puede ser un poema o un texto en prosa) escrito por Pedro, en el que justificara por qué se hizo militante, formado por expresiones con tono de respuesta, de modo que fuese como la contrapartida del poema del torturador en el que la voz formula interrogaciones *("qué paliza paterna te generó cobarde/ qué tristes sumisiones te hicieron despiadado").*

• Escriban un poema sobre la libertad. Para eso, divídanse en grupos de dos a cuatro personas. Cada grupo va a elegir un recurso poético y escribirá al menos cinco ejemplos de ese recurso, dentro de los que consideramos: 1) imágenes sensoriales, 2) comparaciones, 3) metáforas, 4) personificaciones y 5) hipérboles. Luego, cada grupo anotará los recursos encontrados y los intercambiará con sus compañeros, de modo que, al final, todos tengan ejemplos de las cinco figuras. El último paso será combinar el material obtenido. Sólo podrán agregar palabras o frases que actúen como conectores. Obtendrán un poema breve y original.

• En la actualidad, en un régimen democrático, ¿qué prácticas ejercemos los ciudadanos en defensa de nuestros derechos? ¿Los conocemos realmente? ¿Cuáles son los organismos encargados de atender nuestros reclamos? ¿En qué ocasión, invariablemente, manifestamos nuestro acuerdo o nuestro desacuerdo con un gobierno? Discutan y luego escriban las conclusiones bajo el título: *"Cómo hacer para que nadie tuerza nuestros derechos y, al mismo tiempo, no morir en el intento".*

• Durante los años más duros de la dictadura argentina, se podía ver, adherida a los parabrisas de los autos, una oblea que rezaba: *Los argentinos somos derechos y humanos.*
Intenten armar un texto-inventario, en el que enumeren –con ironía– qué acciones realizaba el gobierno de facto para "honrar" esa consigna.

• ¿Conocen cuáles son los derechos de los niños y de los adolescentes? Hace poco más de diez años se firmó lo que se conoce como la Convención Internacional de los Derechos del Niño. Aquí tienen algunos de los que, entre otros, fueron reconocidos.

Art. 1: "(...) Se entiende por niño todo ser humano menor de dieciocho años de edad (...)"
Art. 14: "(...) Los Estados respetarán el derecho del niño a la libertad de pensamiento, de conciencia y de religión (...)"
Art. 37: "(...) Los Estados velarán por que ningún niño sea sometido a torturas ni a otros tratos inhumanos o degradantes (...) Ningún niño será privado de su libertad ilegal o arbitrariamente (...)"

• Compartan el contenido de estos artículos. Evalúen el cumplimiento de estos derechos (deberes desde el punto de vista del Estado) en nuestro país. Si los consideraran insuficientes, agreguen los que crean imprescindibles. Escríbanlos.

• Elijan un derecho del niño/adolescente que nuestra sociedad no respete y del que los funcionarios del gobierno no se ocupen. Busquen material (textos periodísticos, fotografías, testimonios directos, etc.) que les permita fundamentar sus presunciones. Elaboren una carta para ser dirigida a la sección "carta de lectores" de un diario conocido, que demuestre la indignación que esa situación les provoca y, al mismo tiempo, la solución que, según ustedes, las autoridades deberían darle al problema.

ÍNDICE

Pedro y el Capitán

Esta edición
se terminó de imprimir en
Verlap S.A. Producciones Gráficas
Spurr 653, Avellaneda,
en el mes de octubre de 2000.